CW00690543

Le Véritable Saint Genest

ROTROU

Le Véritable Saint Genest

PRÉSENTATION
ANALYSE
NOTES
DOSSIER
BIBLIOGRAPHIE
LEXIQUE

par François Bonfils et Emmanuelle Hénin

GF Flammarion

ISBN : 2-08-071052-4

SOMMAIRE

Présentation

Au moment de la création du *Véritable Saint Genest* (1645 ou 1646), Rotrou, appelé par Voltaire « le fondateur du théâtre », est devenu, avec Corneille, le poète dramatique le plus important de son époque. Une tradition de l'histoire littéraire française, qui a voulu ramener le Grand Siècle à ses « classiques » – en glorifiant, au théâtre, la triade scolaire de Corneille, Molière et Racine – a cependant contribué à la méconnaissance d'une œuvre majeure, qu'il fallait rendre accessible au grand public.

La vie de Jean Rotrou, né et mort à Dreux (1609-1650), a laissé peu de traces. Issu d'une famille de magistrats (trois de ses ancêtres furent maires de Dreux), il devint lui-même avocat au parlement de Paris en 1630, après des études de droit. Mais la carrière judiciaire ne semble guère l'avoir intéressé, car très jeune, probablement dès 1626, il se consacre à la vie littéraire. Sa première tragi-comédie, *L'Hypocondriaque ou le Mort amoureux*, est représentée alors qu'il n'a que dix-neuf ans, et il peut déclarer, dans la préface à *Cléagénor et Doristée*, tragi-comédie publiée en 1634, qu'il a déjà composé trente pièces. Parmi ces premières œuvres, beaucoup ne sont pas parvenues jusqu'à nous, et n'ont probablement jamais été publiées. Leur nombre important s'explique par la situation de Rotrou à ses débuts : successeur d'Alexandre Hardy au théâtre de l'hôtel de Bourgogne, il en devient le poète à gages. Lié par un contrat contraignant à la troupe que dirige alors Bellerose, il écrit des pièces sur commande, tout en perdant, la plupart du temps, la propriété de ses textes. Cette « servitude si honteuse », dénoncée par le poète Chapelain dans une de ses lettres, cesse vers 1634. Selon les nécessités du temps, Rotrou s'est en effet cherché des protecteurs : Louis de Bourbon, seigneur de Dreux et comte de Soissons, reçoit la dédicace de ses premières pièces ; Chapelain l'introduit auprès de Richelieu, qui à son tour le fait nommer parmi ses gentilshommes ordinaires ; le comte de Belin, mécène fortuné du Maine qui protège le théâtre du Marais (concurrent de l'hôtel de Bourgogne) et patronne Mairet et Scudéry, accueille Rotrou sur ses terres. Il est donc probable que l'un de ces grands hommes ait intercédé dans les querelles juridiques opposant Rotrou à Bellerose, afin d'affranchir le poète de son contrat.

Après 1634, Rotrou fait partie, avec Corneille, du cercle des Cinq Auteurs, que Richelieu réunit, protège et charge de composer des pièces, parfois sur ses propres canevas. *La Comédie des Tuileries* et *L'Aveugle de Smyrne*, entre autres, sont le fruit de ce travail collectif. Libéré de ses obligations à l'hôtel de Bourgogne, Rotrou ralentit considérablement le rythme de son écriture et semble se retirer des cercles littéraires, même si, jusqu'à sa mort, il écrira encore une vingtaine de pièces. Malgré son admiration pour Corneille, il reste à l'écart de la Querelle du Cid qui déchire la vie littéraire en 1637. Rotrou compose désormais en moyenne une pièce par an, mais donne ses chefs-d'œuvre : *Le Véritable Saint Genest* (1645-1646), *Venceslas* (1647), *Cosroès* (1648).

Rotrou quitte Paris pour regagner sa ville natale, où il achète en 1639 une charge de lieutenant particulier au bailliage de Dreux ; l'avocat de Paris devient magistrat de sa ville. Il se marie en 1640. Il a six enfants, dont trois seulement survivront, mais sans avoir eux-mêmes de descendance. Renouant avec la tradition publique de sa famille, Rotrou connaît une mort exemplaire : en 1650, lors d'une épidémie de fièvre pourprée, une sorte de peste, il refuse de quitter ses concitoyens, dont il a la charge. Il leur offre sa vie, à quarante et un ans.

Trente-cinq pièces d'une grande variété sont parvenues jusqu'à nous, sur la cinquantaine d'œuvres probablement écrites par Rotrou : dix-sept tragi-comédies, douze comédies, six tragédies. Le dramaturge fait ses débuts dans les années 1625-1640 : c'est la période faste de la tragi-comédie, qui ignore encore autant les règles des unités que les normes de la vraisemblance et de la bienséance. Il construit ses tragi-comédies (*Les Occasions perdues*,

L'Heureux Naufrage, *Laure persécutée*...) autour d'une intrigue amoureuse compliquée, qui unit un réalisme cru au romanesque le plus échevelé. Pour écrire ce type de pièces, Rotrou est un des premiers en France à chercher son inspiration dans la *comedia* espagnole, ouvrant ainsi la voie à une influence qui marquera profondément la littérature française du XVIIe siècle. Il reprend à la *comedia* aussi bien certaines de ses thématiques (le goût du changement, les jeux de déguisements, l'exaltation de l'héroïsme et de la vie aventureuse), que ses modalités d'expression (les scènes spectaculaires de meurtres, de duels et de batailles ; les comportements exacerbés et souvent surprenants ; les revers de fortune) ou son style (l'alternance, par exemple, entre une phrase simple et une rhétorique savante).

Cette orientation tragi-comique l'emporte dans tout l'œuvre de Rotrou, qui sait aussi manifester son talent dans les autres genres dramatiques. Le dramaturge renouvelle le genre comique en même temps que Corneille : tous deux donnent leur première comédie la même année (1629), avec, respectivement, *La Bague de l'oubli* et *Mélite*. Par ses comédies pastorales (*Diane, Céliane*), à l'antique (*Les Ménechmes*, *Les Sosies*) et à l'espagnole (*La Bague de l'oubli*), Rotrou marque profondément Molière, et ses œuvres font partie du répertoire courant de *L'Illustre Théâtre*. Il contribue aussi au renouveau de la tragédie sur la scène française, d'abord avec des pièces très irrégulières, à l'antique ou à la romaine, comme *Hercule mourant*, *Antigone*, *Iphigénie en Aulide*, *Crisante*.

Pour reprendre les mots de Jacques Morel, la « courbe tragique » qui infléchit l'œuvre de Rotrou trouve une forme d'accomplissement à la fin de sa vie, quand le dramaturge oriente son théâtre vers une plus grande intériorisation de la violence et une action plus concentrée. S'il adopte certaines conventions du modèle dramatique nouveau que Corneille a fait prévaloir, les normes classiques ne parviennent pas à s'imposer complètement à lui. Non que Rotrou soit un « pré-classique », comme on pourrait le penser dans une conception *a posteriori* de l'histoire littéraire : ses tragédies, *Le Véritable Saint Genest* aussi bien que *Venceslas* ou *Cosroès*, sont tout simplement marquées par la permanence des formes et des thèmes de la tragi-comédie (*Venceslas* est encore désignée comme telle dans sa première édition). On peut lire *Le Véritable Saint Genest* comme le témoignage de ce changement mesuré dans l'œuvre de l'écrivain : l'hommage rendu à Corneille (I, 5, v. 277-286), en même temps que le maintien appuyé d'une « dramaturgie de l'ambiguïté » (due au sujet même de la pièce), témoignent de la sensibilité de Rotrou aux inflexions artistiques de son temps, et de sa fidélité, surtout, à ce qui fit son génie.

Quand le *Véritable Saint Genest* est représenté, la mode est à l'apologie : l'apologie du théâtre forme la trame de nombreuses pièces depuis quinze ans, et Pascal formera bientôt son projet d'*Apologie de la religion chrétienne*. Aucun rapport apparent : tout semble opposer le théâtre et l'Église ; le premier défie la seconde, qui à son tour condamne le premier. Et pourtant, la pièce de Rotrou utilise l'un et l'autre, l'apologie du théâtre devenant l'image et le moyen de l'apologie de la religion. Par une étrange ironie du sort, la pièce est créée à l'hôtel de Bourgogne, où on ne représente plus, comme au temps des Confrères de la Passion, des mystères religieux, mais des tragi-comédies à la mode. Or Rotrou y fait jouer une manière de mystère en forme de tragi-comédie ; ou plutôt, il s'inspire des deux genres pour créer une pièce radicalement originale qui, en inventant sa propre esthétique, crée un univers théâtral.

ÉLOGE DE LA FEINTE : L'ILLUSION DU DÉCOR

Qu'on nous permette d'ouvrir la pièce de Rotrou comme lui-même ouvre le « théâtre élevé » où Genest s'apprête à jouer (II, 1) : en contemplant le décor. Il est somptueux : palais à colonnes, perspectives ouvrant sur de lointains paysages… De petits personnages l'animent, habillés à l'antique. Et pourtant, tout n'est que fausses architectures, feinte générale qu'organise l'illusion perspective.

L'ordonnateur de cette illusion est le décorateur, traditionnellement appelé « feinteur » depuis le Moyen Âge, de même que ses trucages se nomment des « feintes ». S'il est commun de mettre sur scène, dans les *comédies des comédiens*, certaines figures du personnel théâtral (comédiens, directeur de troupe, poète), nul autre que Rotrou n'a accordé au décorateur une place si éminente : non seulement il ouvre la pièce intérieure, mais il se livre à un long exposé technique sur son art, et réapparaît après la fin de la pièce, pour signifier l'arrêt de l'illusion (IV, 8 et 9). Reprenant les termes du père Binet dans l'*Essai des merveilles de nature* (Paris, 1626), la discussion entre Genest et le décorateur porte sur la perspective, l'art de tromper le spectateur en lui faisant prendre de plates images pour des objets en trois dimensions. Cette technique, que les traités de perspective, tels ceux de Brosse et de Dubreuil, explorent avec passion dans les années 1640, consacre la suprématie du peintre sur l'architecte dans la mise en scène : seuls quelques éléments du décor restent construits en dur, mais l'essentiel repose sur un mirage, la perspective à l'italienne organisant le spectacle en fonction d'un point de vue unique et pour un spectateur privilégié, le roi Louis XIII ou, comme ici, l'empereur Dioclétian. Ainsi cette scène liminaire de l'acte II, comme les scènes de répétition qui suivent, ne vise-t-elle pas seulement à la représentation réaliste du monde théâtral et de ses usages ; elle annonce et résume ce qui va se passer : l'illusion perspective est la figure de l'illusion théâtrale. L'auteur nous avertit d'emblée, par une manière de métaphore picturale, que la pièce aura pour sujet cette tromperie essentielle du théâtre, ce trompe-l'œil de l'esprit qu'est l'imitation dramatique.

Rotrou se montre attentif au décor et à la mise en scène de ses pièces et recourt volontiers aux artifices des « machines » pour animer ce décor et produire la *merveille* : émerveillement du spectateur et miracle. Ici le miracle sera littéral : on verra le ciel s'ouvrir (en II, 4, et IV, 5, selon un procédé souvent utilisé par l'auteur, dans *Hercule mourant* et *Iphigénie* par exemple, et qui consiste à écarter deux morceaux de toile) et des flammes en descendre (sans doute figurées par des planches où sont fixées des chandelles). Quand Genest donne ce conseil au décorateur : « Et surtout, sur la toile où vous représentez vos cieux / Faire un jour naturel au jugement des yeux » (v. 323-324), c'est bien une marque de l'ironie dramatique. Les cieux ne serviront pas en effet dans la pièce qu'il va jouer, mais dans le drame réel qu'il va vivre ; ainsi est préfigurée, au-delà du *Martyre d'Adrian* représenté sur le théâtre intérieur, la conversion de Genest lui-même, sujet de la vraie pièce.

Mais loin de s'extasier devant le décor, Genest, en tant que metteur en scène, lui adresse de vives critiques : « Avec peu de dépense / Vous pouviez ajouter à sa magnificence » (v. 313-314). Ses reproches rappellent les plaintes fréquentes des auteurs de l'époque devant l'indigence du décor, dû au manque de moyens ou à l'avarice des troupes. Genest voudrait des couleurs plus vives, plus variées, et des architectures plus riches : colonnes de faux marbre et de faux jaspe, garnies de nombreux ornements, et des paysages riants, avec les jets d'eau des jardins à la française, autant de créations du trompe-l'œil pictural. À ces préoccupations esthétiques, le décorateur oppose un point de vue technique en invoquant l'illusion perspective qui repose sur un double fondement. D'une part, la *perspective géométrique*, fondée sur la diminution de la taille des objets, permet, en accentuant cette diminution, de donner l'impression d'une profondeur plus grande, comme au théâtre Olympique de Vicence où les rues paraissent beaucoup plus profondes qu'elles ne sont en réalité : c'est l'art des « raccourcissements » et des « renfondrements ». D'autre part, suivant les lois de la *perspective atmosphérique*, le peintre de scène atténue les couleurs et la netteté des plans éloignés pour les faire paraître encore plus distants : c'est la raison des couleurs moins vives, « meurtries », dites encore « ombrages », que critique Genest. Enfin, le comédien voudrait un « jour naturel » dans le ciel, une lumière qui donne l'illusion du jour réel, pour remplacer les « faux jours », mélanges artificiels de lumière et d'ombre servant à faire ressortir les couleurs de loin. Ainsi Genest, placé juste en dessous du décor peint, ne peut-il en apprécier la feinte ; il l'envisage comme une pure copie du réel, alors qu'il est destiné à donner au spectateur placé à un endroit précis de la salle, par des moyens tout à fait artificiels, l'illusion du réel.

L'illusion perspective impose donc, pour fonctionner, un point de vue unique. De partout ailleurs, on ne voit que confusion. « Il n'y a qu'un point indivisible qui soit le véritable lieu », dit Pascal (*Pensées*, Br. 381), comparant la lecture d'un tableau à la recherche de la vérité. *Le Véritable Saint Genest* est tout entier fondé sur le passage du vertige des apparences à ce point unique.

ÉLOGE DE LA FEINTE : L'ILLUSION DE L'ACTEUR

Genest ne comprend pas la distinction entre la feinte et la réalité. Il a une conception purement mimétique de l'illusion : imiter le réel, c'est le copier, peindre un « jour naturel ». Comme le peintre, le comédien imite : Genest se propose de montrer à la cour les « tableaux parlants » (v. 216) de ses actions passées, selon une métaphore courante à l'époque. La seule différence entre son imitation et celle du peintre, c'est que la sienne sera animée, douée de mouvement. L'acteur doit imiter son personnage comme la peinture adhère à son modèle réel, sans garder de distance, cette même distance qu'exigeait l'illusion perspective. Le seul conseil que donne Genest en matière de jeu est de « s'exciter » (v. 371), c'est-à-dire de s'échauffer, de se laisser porter par un enthousiasme qui rende l'acteur capable d'éprouver les passions du personnage qu'il imite. Seul l'acteur qui s'illusionne lui-même peut créer chez les spectateurs l'illusion constitutive du pacte théâtral ; ce pacte est conclu ici entre Genest et Dioclétian, dans une scène (I, 5) qui pourrait constituer le programme, le contrat tacite de toute pièce de théâtre. Les « feintes » (v. 233) du comédien suscitent des émotions réelles (« de vrais ressentiments », v. 236) ; elles créent du vrai à partir du faux, comme le peintre donnait l'impression de la réalité par la multiplication des artifices. Le résultat est que l'imitation est prise pour l'original : « Par ton art les héros, plutôt ressuscités / Qu'imités en effet et que représentés » (v. 239-240). Genest accepte le contrat, promet à l'empereur de le porter à ce point de l'illusion où l'image se confond tout à fait avec le réel : « [la mort d'Adrian] Vous sera figurée avec un art extrême [...] / Et [...] vous douterez, si dans Nicomédie, / Vous verrez l'effet même ou bien la comédie » (v. 301, 305-306). Le mot « art » implique bien l'existence d'une distance initiale entre l'acteur et son personnage ; mais en abolissant cette distance par la nécessaire identification du comédien à son rôle, cet art comporte le risque d'une fusion complète : « D'effet comme de nom je me trouve être un autre » (v. 402).

La pièce nous montre comment la feinte agit d'un double point de vue : celui de l'acteur Genest et celui des spectateurs. Car les choses ne se passent pas de la manière prévue : l'acteur, ordonnateur de la feinte, était censé rester jusqu'au bout maître de son art et prendre le public à ce piège. Ce schéma est perverti dès l'origine : avant même de jouer en public, alors qu'il est seul avec son rôle, Genest se sent happé par l'illusion qu'il s'entraînait à créer : « Je feins moins Adrian que je ne le deviens » (v. 403). Ébranlé par cette première transformation, l'acteur parvient à retrouver la maîtrise de lui-même, ou plutôt à se l'imposer, selon une modalité impérative : « Il s'agit d'imiter, et non de devenir » (v. 420). Par un processus symétrique de la schizophrénie, Genest est menacé de perdre la dualité essentielle qui sépare sa personne fictive de sa personne réelle, de confondre les deux en rendant l'imitateur parfaitement conforme au modèle. Dès la scène de la répétition, les spectateurs que nous sommes sont donc informés du danger de basculement qui mine la représentation interne : ce basculement est désormais attendu, seuls demeurent incertains son moment et ses modalités. En revanche, les spectateurs internes, Dioclétian et sa cour, n'ont pas assisté à la répétition : pour eux, la surprise sera complète. Le théâtre dans le théâtre, en permettant de jouer sur le savoir décalé des deux niveaux de spectateurs, rend tangible le mécanisme de l'illusion.

La métamorphose de Genest, annoncée avant le début de la représentation (II, 4), passe donc pour une feinte aux yeux des spectateurs internes quand elle advient à la fin du spectacle (IV, 5). Un troisième niveau de représentation se crée alors : le regard des autres acteurs, qui deviennent à leur tour spectateurs du nouveau jeu de Genest, anticipe le regard de Dioclétian et le nôtre. L'actrice Marcelle réagit la première, imputant le texte improvisé de Genest à un trou de mémoire, tandis que Lentule explique d'une manière semblable le passage de l'acteur en coulisses. Tous deux interprètent son attitude en termes de jeu théâtral : improvisation, trou de mémoire, coulisses… Lentule demande même qui est le souffleur, ne comprenant pas que l'inspiration de Genest lui vient de Dieu. Les acteurs sont incapables de s'élever à un autre plan que celui de la représentation en cours, au plan d'une réalité qui est à la fois identique à la réalité initiale et différente d'elle. Identique, parce que Genest n'est plus Adrian, mais Genest ; il ne s'adresse plus à Anthyme, mais à Lentule (v. 1243), désigné comme celui « *qui faisait Anthyme* », Marcelle étant celle « *qui représentait*

Natalie » (didascalies aux vers 1259 et 1258). À travers la parole de Genest et les didascalies, l'onomastique prend acte de la rupture de la fiction et du retour au niveau de la pièce-cadre. Mais cette réalité est en même temps radicalement différente, puisque Adrian s'est métamorphosé ; il a entrevu un autre plan de réalité, non plus courtisane ni théâtrale, mais surnaturelle ; une troisième pièce s'est jouée de manière officieuse, parallèlement aux deux autres.

Les spectateurs internes restent pourtant tout aussi incapables de comprendre et font l'éloge de son art dans les mêmes termes illusionnistes qu'au début : « Sa feinte passerait pour la vérité même » (v. 1284). Prisonniers du pacte initial, ils y intègrent même ce qui s'en écarte et prennent les paroles de vérité de Genest pour un effet de réel supplémentaire : en commentant son jeu, Genest feindrait de s'abstraire de l'illusion, de porter sur elle un regard extérieur. Par contrecoup, son jeu paraît plus réel aux yeux des spectateurs internes. Genest leur semble alors recourir à un procédé commun du théâtre dans le théâtre : désigner une fiction comme telle, c'est nécessairement s'en abstraire, donc faire vrai. La multiplication des niveaux de fiction, tel est le vertige auquel nous convie la pièce de Rotrou, véritable miroir baroque.

De la feinte à la vérité : une dramaturgie de l'analogie

Ainsi les scènes 5, 6 et 7 de l'acte IV constituent-elles le sommet de la pièce et de l'art de Rotrou : elles maintiennent pendant plus de cent vers (v. 1258-1378) le flottement dans l'esprit de tous les spectateurs. Ce mouvement reproduit le mécanisme de l'illusion dramatique, fait du mélange permanent entre la créance apportée à la fiction et la conscience de son statut fictif. Le doute entre fiction et réalité dans la pièce de Rotrou a donc d'abord une fonction théorique, ou du moins réflexive, puisqu'il met en scène le fonctionnement même de la représentation théâtrale. Mais il a aussi une fonction dans la construction dramatique : les spectateurs internes, tout en se trompant sur l'attitude de Genest, profèrent sans le savoir la vérité, selon la définition même de l'ironie tragique. Quand Marcelle dit qu'« il feint comme animé des grâces du baptême » (v. 1283), elle ignore que Genest a précisément reçu le baptême derrière le théâtre, à l'insu de tous. Plancien frôle la bonne interprétation : « Ou ce spectacle est une vérité » (v. 1285), mais la rejette ensuite : « Ou jamais rien de faux ne fut mieux imité » (v. 1286). Valérie énonce clairement le mécanisme par lequel Genest est devenu son personnage : « Pour tromper l'auditeur, abuser l'acteur même / De son métier, sans doute, est l'adresse suprême » (v. 1263-1264) ; mais elle impute encore, avec les acteurs de la troupe, cette auto-illusion à une intention artistique, comme Dioclétian : « Voyez avec quel art Genest sait aujourd'hui / Passer de la figure aux sentiments d'autrui » (v. 1261-1262).

L'ironie tragique s'accompagne par ailleurs d'une inversion des signes ou du ton : un événement heureux annoncera littéralement un événement malheureux. C'est une forme négative de la préparation ou de l'annonce dramatique, dont Rotrou fait le principe de composition de sa pièce. En effet, tout *Le Véritable Saint Genest* est construit sur le schéma de la préparation, sa structure étant celle d'une vérité d'abord annoncée obscurément, et plus tard dévoilée. Outre les scènes de la répétition, c'est ainsi qu'on peut comprendre le premier acte : le songe de Valérie semble d'abord reprendre le *topos* théâtral du songe prémonitoire, particulièrement exploité au XVIIe siècle, qui permet d'annoncer dès le début le dénouement de la pièce – qu'on se souvienne, par exemple, du songe d'Athalie chez Racine. Mais ici, le songe est expliqué dès la fin de l'acte, quand Valérie s'aperçoit que le berger dont elle a rêvé n'est autre que Maximin. Ainsi la pièce peut-elle sembler finie, et le premier acte apparaître comme une forme de prologue, constituant une pièce à part entière dont la seule fin serait d'introduire la pièce intérieure.

En réalité, la raison d'être du songe est expliquée par une phrase de Valérie : « Et de mon songe, enfin, faire une vérité » (v. 80). Dans le théâtre baroque, le rêve, le reflet, le tableau sont autant d'images dégradées du réel, que pourtant ils révèlent, dont ils dévoilent l'essence. Le songe de Valérie fonctionne comme une *figure* de la pièce, au sens biblique du terme : il annonce d'une manière voilée ce qui adviendra réellement, comme dans la Bible les événements et les prophéties de l'Ancien Testament préfigurent le Nouveau (la sagesse de Salomon est une annonce de celle du Christ, la traversée de la mer Rouge une annonce du baptême, etc.). De même, comme le dit Dioclétian, le rôle de Genest est une « figure » (v. 1261) : non seulement un « tableau parlant » (v. 216), mais une prophétie de sa conversion. Du tableau à la figure, le sens de l'image théâtrale s'inverse : on passe de l'imitation à la révélation, de l'image trompeuse à l'image qui dit le vrai. La figure établit une sorte d'analogie, terme que Genest applique à l'art du comédien dans le fragment rajouté à la scène 3 de l'acte II (v. 11). Le metteur en scène y conseille à Marcelle, incapable de se pénétrer des sentiments chrétiens, de transposer ceux de l'amour humain. Le champ de l'analogie est ici double, puisqu'elle désigne autant la métamorphose de l'acteur que le passage de l'amour humain à l'amour divin. En d'autres termes, cette analogie revêt elle aussi une fonction figurative, car elle annonce la conversion de Genest à travers son art.

L'acte I contient donc en germe toute la pièce, tel un microcosme ; il la reflète comme un miroir. Cette fonction spéculaire est d'abord inscrite dans le personnage de Maximin, qui se voit représenté sur la scène intérieure par Octave, et elle est explicitement signifiée par ses propres paroles : « Oui, crois qu'avec plaisir je serai spectateur / En la même action dont je serai l'acteur » (v. 307-308) ; le redoublement est souligné par la didascalie « Maximin *acteur* », chaque fois qu'il s'agit du personnage interprété par Octave. L'ascension de Maximin au pouvoir, objet du songe de Valérie, préfigure peut-être celle de Genest vers un rôle plus glorieux ; davantage, la métamorphose de Maximin annonce celle de l'acteur Genest. Cette métamorphose de berger en roi est riche de signification : outre la référence explicite aux fondateurs de Rome, elle évoque la figure christique du Bon Pasteur qui gouverne le Royaume, à laquelle tout monarque de droit divin s'assimile. Mais une troisième interprétation est possible : dans la distinction des genres, le couple du berger et du roi renvoie toujours à l'opposition entre tragi-comédie et tragédie, entre style moyen et personnages humbles d'un côté, style élevé et personnages nobles de l'autre. La rupture de tons, la situation comique de départ (annonce d'un mariage accompagné d'un divertissement) s'inverse dès la scène de la répétition (II, 4) pour finir en tragédie. Or, *Le Véritable Saint Genest* inscrit dans son mouvement même le passage d'une esthétique à l'autre : Maximin, Dioclétian (I, 1 et 3) et Genest (II, 5) ne cessent d'insister sur l'idée que leur mérite et leur vertu compensent, « réparent » (v. 113 et 156) leur humble naissance, comme si ce personnel roturier, attendu pour une comédie ou une tragi-comédie, voulait se justifier d'être prêt à jouer ici une tragédie.

La feinte démasquée : le dévoilement de l'analogie

Ironie, renversement, figure, analogie : ces paradigmes, tout en rendant compte de la structure dramatique, renvoient en même temps à une esthétique et à une vision du monde. Ces concepts décrivent en effet une dualité essentielle, le passage d'un plan à un autre, au cours duquel les signes s'inversent. Aux deux plans de réalité qui caractérisent le théâtre dans le théâtre (la pièce-cadre et la pièce intérieure), la conversion de Genest ajoute un troisième plan, lié cette fois au lieu commun du théâtre du monde (*theatrum mundi*), défini ici par la présence d'un spectateur divin. Ce triple niveau est figuré par la mise en scène même : à la scène où se tiennent les spectateurs internes se superposent d'abord la scène du petit théâtre où joue Genest, puis celle de l'apparition divine dans le ciel. À ceci près qu'on ne voit pas, contrairement à d'autres versions du thème (telle celle de Lope de Vega, dans *Lo fingido verdadero*, modèle de Rotrou), l'ange apparaître sur un troisième théâtre, selon la fonction originelle du *théâtre de Jupiter* ou *paradis* : dans les mystères du Moyen Âge, ce théâtre élevé sur la scène elle-même était réservé aux apparitions de créatures divines. Il faut alors lire la pièce selon ces trois niveaux : le monde de la cour (niveau 1), le monde du théâtre (niveau 2), le monde divin (niveau 3).

Le *theatrum mundi*, sens ultime de la pièce dévoilé par la conversion de Genest, est préparé dès le premier acte. Dioclétian, en insistant sur les prérogatives de sa toute-puissance, en répétant qu'il ne doit son pouvoir qu'à lui-même (v. 178), se prend pour Dieu. Il oublie que tout pouvoir est redevable au pouvoir du Roi des Rois et que toute création trouve sa cause première dans le Créateur, comme le lui rappellera Genest, selon un motif de la tragédie chrétienne (v. 1559). Cette prétention fait de

Dioclétian une figure dépravée de Dieu le Père, comme Maximin, le roi berger, est une figure dépravée du Christ. L'évocation de la cour impériale, piteuse image de la cour céleste, souligne le changement de plan par un changement de spectateurs : Genest joue devant l'une puis devant l'autre. « J'ai souhaité longtemps d'agréer à vos yeux, / Aujourd'hui je veux plaire à l'Empereur des cieux ; / Je vous ai divertis, j'ai chanté vos louanges ; / Il est temps maintenant de réjouir les anges » (IV, 7, v. 1365-1369). Sa conversion, selon l'étymologie, consiste à *se tourner* vers d'autres spectateurs. Or, ce Spectateur ultime est aussi celui qui nous observe tous à chaque instant, cet « œil » évoqué par Rotrou (v. 897) : la boucle est ainsi bouclée, et le troisième plan en vient à se confondre avec celui de la salle et des spectateurs externes (niveau 0).

La superposition des plans est monnayée au fil de la pièce par des effets d'écho extrêmement concertés. Certains mots-clefs sont à dessein employés pour désigner successivement plusieurs plans de réalité. Le mot « grâce » désigne d'abord la faveur du prince (v. 134, 466 ; niveau 1), puis le talent du comédien (v. 333, 667, 678 ; niveau 2), enfin la miséricorde divine (v. 1283, 1295, 1313 ; niveau 3). Comme si les deux premières grâces étaient des figures de la troisième, à la façon dont, en termes pascaliens, l'ordre de la chair (ici le monde matérialiste de la cour) et celui de l'esprit (ici l'art théâtral) figurent l'ordre de la grâce. D'autres termes comparent entre eux deux niveaux, croisant ainsi deux analogies : celle de la « cour » princière à la « cour » céleste (niveaux 1 et 3) et celle de la transformation théâtrale à la conversion chrétienne (niveaux 2 et 3). L'art de Genest est loué comme une « merveille » (v. 249, 289, 675), avant que le même terme ne serve à désigner le miracle dont il est l'objet (v. 425, 851, 1216, 1344, 1376). Ainsi est suggérée une gradation qui va de l'émerveillement suscité par les créations humaines à l'émerveillement devant la Création. De même, les mots « acte » et « action », utilisés d'abord dans leur sens technique, renvoyant soit à l'intrigue dramatique (v. 667), soit à la gestuelle de l'acteur (v. 247, 308, 454, 460, 1033), assument aussi le sens d'action concrète dans le monde, capable de le transformer (v. 1621, 1724), en devenant le support de la métaphore du *theatrum mundi* (v. 449, 1299, 1312, 1317, 1326, 1386, 1668). L'acte théâtral de Genest est ainsi transformé en acte *véritable*, puisque aussi bien, d'ombre et de figure d'action, d'action fictive, il devient le plus authentique des actes, le témoignage chrétien qui inscrit dans le monde l'action divine – à la manière des « Actes » des Apôtres. Enfin, le mot « effort », qui revêt dans la discussion littéraire le sens technique de « production artistique » (I, 5, v. 221, 278, 309), renvoyant aux œuvres de Corneille, puis à l'art de Genest (« Va, prépare un effort digne de la journée », v. 309), sera employé par Adrian pour désigner les combats du martyre : « Et j'irai sans contrainte, où d'un illustre effort / Les soldats de Jésus triomphent de la mort » (v. 665-666). Le même acte de volonté, ou le même sacrifice, régit l'imitation théâtrale et l'imitation du Christ. Cette perspective éclaire alors l'annonce du « dernier acte » de Genest, mise dans la bouche de Dioclétian dans une phrase pleine, encore, d'ironie tragique : « Écoutons, car Genest dedans cette action / Passe aux derniers efforts de sa profession » (v. 1033-1034). L'ambiguïté du mot *effort* est ici redoublée par celle des autres mots : *action* (de théâtre ou réelle), *profession* (de comédien ou de foi chrétienne), et surtout *dernier* (suprême ou ultime), puisque ce terme annonce à l'insu même de Dioclétian la fin tragique de Genest.

On peut dès lors assimiler, selon deux modalités, la conversion de Genest, véritable coup de théâtre, à l'Incarnation du Fils. D'une part, la conversion remplit sa fonction de surprise tout en étant préparée, comme l'Incarnation annoncée par les prophéties remplissait ses témoins de stupéfaction. D'autre part, l'Incarnation de Dieu en un homme de chair, le Christ, peut servir de modèle au travail de l'acteur qui endosse un autre personnage, en *incarne* un autre. En ce sens, le Christ apparaît comme l'acteur suprême, le « céleste acteur » (v. 1255), à la fois en ce qu'il réalise parfaitement le paradigme de l'action théâtrale et en ce qu'il réalise tout accomplissement dans le monde. Il revient à Genest, *in fine*, d'exposer avec une éloquence proprement inspirée le sens de la révélation dont il est l'acteur, d'effectuer la transposition entre la figure et l'accomplissement, de donner la clef ultime de la pièce – comme le Christ donnait lui-même la clef de l'Écriture qu'il venait accomplir. À partir de sa réapparition sur la scène après son baptême, tout le discours de Genest ne vise qu'à substituer la vérité à l'illusion : non pas à dissiper l'illusion pour renvoyer à une réalité extrinsèque, mais à lire dans l'illusion le chiffre énigmatique de la vérité. Rotrou confère à l'illusion une portée bien plus grande que celle du trompe-l'œil, à l'œuvre, par exemple, dans *L'Illusion comique* de Corneille : l'erreur humaine n'est pas le contraire de la vérité, mais une étape nécessaire de son avènement, un état d'imperfection provisoire dû aux limites des facultés humaines. La révélation ne détruit pas la figure antérieure, mais récapitule ses manifestations pour les dépasser, comme l'acteur se dépasse en passant de l'acte imité à l'acte vrai : « En cet acte, Genest à mon gré se surpasse » (v. 667).

Genest rétablit donc la signification ultime de tous ses actes, faussement attribués par les divers témoins à la feinte théâtrale : son *action* est celle du ciel même (v. 1299) ; le souffleur de la pièce est l'ange (v. 1300), tandis que l'Esprit-Saint envoie son *feu* (v. 1305), divine inspiration et non plus fougue de l'acteur. La didascalie qui annonce le miracle de la conversion de Genest (II, 3, v. 421) : « *Le ciel s'ouvre avec des flammes, et une voix s'entend, qui dit* », fait directement écho à la scène du baptême du Christ : « Et voici que les cieux s'ouvrirent : il vit l'Esprit de Dieu descendre comme une colombe et venir sur lui. Et voici qu'une voix venue des cieux disait » (Mt, 3, 16-17). La grâce intervient comme un *deus ex machina* pour donner à la pièce son dénouement. Le Christ appelle Genest à un autre rôle. Non seulement ce rôle est dicté par les cieux – à la copie du texte que tient le souffleur en coulisses correspond le livre que tient l'ange, où les péchés de l'acteur inscrits sont effacés par l'eau du baptême (v. 1302) –, mais Dieu est le maître suprême de l'improvisation : « Dieu m'apprend sur-le-champ ce que je vous récite » (v. 1316). Cette formule trouve son explication dans les paroles de Jésus envoyant ses disciples en mission : « Ne cherchez pas avec inquiétude comment parler ou que dire : ce que vous aurez à dire vous sera donné sur le moment, car ce n'est pas vous qui parlerez mais l'Esprit de votre Père qui parlera en vous » (Mt, 10, 19). Le vrai témoin du Christ n'a pas à se soucier de son rôle ; il est toujours soutenu par l'inspiration de Dieu.

L'ultime réalisation de la figure est celle qui transforme le théâtre en échafaud, selon une métaphore usuelle, déjà employée par d'autres auteurs pour évoquer saint Genest, tel Scudéry dans *L'Apologie du théâtre*, et mise en scène par Lope de Vega à la fin de *Lo fingido verdadero*. Puisque le dénouement d'une bonne tragédie se doit d'être funeste, voire sanglant, le martyre accomplit en cela le modèle tragique. Cette révélation est confiée à l'ironie cinglante de personnages antipathiques – Dioclétian : « Fermez les actions par un acte sanglant » (v.1386) ; le geôlier : « Et je crains en cet acte un tragique succès » (v. 1621) ; Maximin évoque le « spectacle funeste » (v. 1667), le « théâtre sanglant » (v. 1666) ; le bourreau enfin : « J'ai mis la tragédie à sa dernière scène » (v. 1740), et « par un acte sanglant, fermé la tragédie » (v. 1724). Le monde est bien une comédie (cette « comédie où j'ignorais mon rôle »,

v. 1304) qui s'achève en tragédie, comme la pièce de Rotrou elle-même. Comme la vie humaine chez Pascal : « Le dernier acte est sanglant, quelque belle que soit la comédie en tout le reste » (*Pensées*, Br. 210).

LA FEINTE RACHETÉE : DU COUP DE THÉÂTRE AU COUP DE GRÂCE

Le Véritable Saint Genest exploite un certain nombre de structures dramatiques pour leur donner une signification religieuse : la figure biblique qui accomplit l'inversion des signes, traduite par l'ironie ; le spectateur divin ; les motifs de la conversion et de l'Incarnation. Que l'illusion théâtrale, principal grief des gens d'Église à l'endroit du théâtre, devienne l'instrument du salut de Genest, voilà le paradoxe qui soutient toute la pièce. Ce paradoxe lui confère une double dimension apologétique, du théâtre et de la religion. Rotrou trouve dans la figure de Genest héritée de la tradition hagiographique l'assimilation de l'acteur et du saint, contradictoire dans une société où l'acteur est mis à l'écart.

Comment peut-on faire en même temps l'apologie du théâtre et celle de la religion chrétienne ? Une solution consiste à faire de l'une le simple moyen de l'autre : le thème religieux pourrait n'être qu'un prétexte à une belle exaltation des pouvoirs divins de l'acteur. On n'a pas hésité, en l'occurrence, à passer outre la dimension chrétienne pour faire de la pièce un apologue de la magie du théâtre, une mise en scène talentueuse du vertige baroque de l'illusion, l'élément religieux n'intervenant qu'en termes métaphoriques pour le sacre du comédien. *A contrario*, l'ironie de Rotrou à l'égard du théâtre ne doit pas échapper : il raille le monde des comédiens et ses coquettes, ses « lutins » (v. 362) qui viennent semer la confusion au parterre et jusque dans les coulisses. N'est-ce pas traiter avec ironie le procédé du théâtre dans le théâtre lui-même que d'en multiplier les dysfonctionnements (fausses annonces, pièce intérieure avortée) ? Le thème du *theatrum mundi* n'est pas davantage épargné, puisque l'analogie entre la cour princière et la cour céleste est dépravée : que penser de cette cour qui, pour se divertir lors d'un mariage, ordonne de jouer une tragédie sanglante et se complaît au spectacle de sa propre cruauté ? Enfin, comment prendre au sérieux l'apologie d'un théâtre prospérant sous les auspices du « bon » Maximin ? Mais le doute est plus radical : Genest condamne explicitement le théâtre, quand il se repent d'avoir embrassé un « art peu glorieux » (v. 1341) et d'avoir raillé les chrétiens par ses pièces païennes (v. 1335-1342). On croirait entendre un théologien dénonçant la mauvaise conduite des comédiens.

Selon ses détracteurs, tout théâtre est nécessairement dérision de la religion, car leurs principes sont en tout point opposés : le théâtre est mensonge, la religion vérité. Il y a entre eux la distance du Démon à Dieu, puisque le Démon, *singe de Dieu*, est une sorte de comédien : « Le Démon me dictait, quand Dieu voulait parler » (v. 1306). Si le théâtre est condamné par les propos de Genest, il est aussi condamné par le dénouement de la pièce, ou plutôt par le non-dénouement de la pièce intérieure, brusquement interrompue par la conversion de Genest, qui laisse la scène vide. Quand disparaît la scène de la pièce intérieure, il reste la scène de la pièce-cadre pour nous illusionner, nous donner l'impression que la représentation continue ; mais en réalité, le coup de théâtre est aussi un coup de grâce donné à la pièce, à l'acteur et au théâtre tout entier. Une fois déchiré le voile de la figure, plus de théâtre possible : ce n'est pas le martyre fictif d'Adrian qui aura lieu, mais bien le martyre réel de Genest. Ainsi, achever l'illusion, achever la pièce et achever sa vie ne font qu'un ; la mort impose une exigence absolue d'authenticité, de coïncidence à soi-même ; elle jette bas les masques, réduit brutalement l'illusion multipliée au reliquat misérable de l'humaine condition.

Faut-il penser que Rotrou, après plus de trente pièces, renie toute sa carrière, brûle ce qu'il a adoré et porté à un si haut degré d'accomplissement ? Un coup d'œil sur les pièces postérieures suffit à bannir cette pensée : outre les grandes œuvres que sont *Venceslas* (tragi-comédie, 1647) et *Cosroès* (tragédie, 1648), Rotrou prépare une pièce à machines, *La Naissance d'Hercule*, vouée à l'exaltation des merveilles de la mise en scène (dont on conserve le projet, un *Dessein* de 1649). Mais dans *Le Véritable Saint Genest*, l'apologie de la théâtralité se présente comme la seule forme possible de l'apologie de la religion : le spectateur réel ne s'identifie en effet ni aux spectateurs fictifs, ni aux acteurs de la pièce intérieure, mais bien au rôle de chrétien joué par Genest. C'est la meilleure preuve que le théâtre, instrument de la grâce, a atteint son objectif de conversion, non pas seulement du héros Genest dans la fiction représentée, mais de tous les spectateurs de la salle qui se trouvent confirmés dans leur foi religieuse par la représentation intérieure. La leçon spirituelle est alors claire pour eux : le monde est un théâtre où ils sont acteurs sous le regard de Dieu, mais surtout spectateurs de l'illusion que leur offrent d'autres hommes, représentés sur la scène par les spectateurs intérieurs. La leçon à tirer, c'est qu'il faut savoir lire les signes de cette illusion ; c'est même un devoir sacré, puisque, derrière elle, Dieu lui-même peut se donner à voir. Ses voies, en effet, ne sont pas celles des hommes. Perdre de vue que l'illusion est pourvoyeuse de vérité, c'est risquer de manquer la « seconde partie » de la comédie qui se jouera au ciel, selon l'expression attribuée à Genest par Lope de Vega ; après la comédie humaine, la divine comédie. Le refus obstiné de l'illusion pourrait donc être une forme du péché contre l'Esprit, péché suprême, refus du salut proposé par Dieu à travers elle : on ne saurait aller plus loin dans la défense du théâtre qui tourne, implicitement, à la condamnation chrétienne de ses détracteurs.

Ainsi l'ordre de la grâce n'infirme-t-il pas les autres ; il les réinterprète plutôt, les situe à leur vraie place, laissant coexister les contraires comme autant de moments d'un processus qui s'abolissent en Dieu. C'est pourquoi la grâce ne transfigure pas la réalité ; elle n'est pas en continuité avec le monde comme dans le *Polyeucte* de Corneille. La sagesse divine ne représente pas l'état achevé de la raison humaine, ni son quelconque aboutissement ; elle est l'unique réalité, face à laquelle les hommes ne sont rien. De manière incompréhensible, elle tombe sur Genest, victime élue, et laisse le monde inchangé. Elle s'est contentée de manifester un instant son éclat aux yeux du monde par la conversion de Genest et les « flammes » qui l'ont accompagnée, mais le monde, ne l'ayant pas reconnue, est retombé dans l'obscurité. Certes, la révélation que Genest reçoit de la grâce divine lui interdit bien de continuer à jouer, mais s'il n'avait pas joué, il n'aurait pas gagné cette grâce. Il faut jouer pour pouvoir gagner… Il faut se savoir acteur en ce monde, ombre et reflet, mais reflet du visage divin ; être conscient de l'*engaño* pour atteindre le *desengaño* : c'est bien la leçon, l'*escarmiento*, d'une mondanité anti-mondaine. Que l'on pourrait définir dans une paraphrase de Pascal (Br. 92) : « Le vrai théâtre se moque du théâtre ».

Emmanuelle Hénin et François Bonfils.

Analyse

Acte I

Valérie, fille de l'empereur Dioclétian, confie à Camille, sa suivante, qu'elle est inquiète à la suite d'un songe : elle a vu son père l'obliger à épouser un berger **(sc. 1)**. Ses craintes s'apaisent quand un page annonce la venue de Dioclétian accompagné de Maximin, le vainqueur d'Orient **(sc. 2)**. Dioclétian a décidé de donner sa fille en mariage à Maximin, ancien berger, avec qui il a choisi de partager le titre d'Empereur **(sc. 3)**. Tandis que tous remercient le ciel, on annonce l'arrivée de Genest, le plus fameux comédien du temps **(sc. 4)**. Il se glorifie de divertir les princes, d'alléger leurs soucis. Dioclétian lui demande alors de fêter l'heureux mariage de Valérie en représentant un drame où brillera son art si réputé. On discute des auteurs en vogue, des Anciens et des Modernes. À la prière de Valérie, Genest accepte de parodier l'enthousiasme des martyrs chrétiens **(sc. 5)**.

Acte II

Genest, en s'habillant, examine la scène et donne des indications au décorateur **(sc. 1)**. Il repasse le rôle du martyr Adrian **(sc. 2)**. La comédienne Marcelle, qui représente Natalie, femme d'Adrian, répète aussi, dirigée par Genest qui l'aide à parfaire son jeu **(sc. 3 et fragment rajouté)**. Tandis qu'il poursuit seul la répétition, Genest se laisse emporter par son rôle et se sent touché par des sentiments chrétiens. Dans le ciel qui s'ouvre, il entend une voix inconnue qui l'exhorte à croire au Christ. Surpris et troublé, il essaye de se persuader qu'il a été victime d'une hallucination et demande aux dieux païens de reprendre leur parti contre le Christ **(sc. 4)**. Le décorateur annonce à Genest l'arrivée de la cour **(sc. 5)**. En attendant le début de la représentation, la cour vante les mérites de la tragédie et se plaint des chrétiens, dont Maximin se réjouit de voir la mort représentée sur scène grâce au talent merveilleux de Genest **(sc. 6)**. La représentation commence sur un « théâtre élevé » : Adrian, ancien officier de Maximin, se donne du courage pour affronter le martyre réservé aux nouveaux prosélytes du christianisme **(sc. 7)**. Devant le tribun Flavie qui l'accuse d'ingratitude à l'égard de l'Empereur, Adrian rappelle les sources de sa nouvelle foi et refuse d'abjurer. On le fait enchaîner **(sc. 8)**. Impressionnés par le talent de Genest, les spectateurs intérieurs (Dioclétian, Maximin et Valérie) profitent de l'entracte pour aller féliciter les acteurs **(sc. 9)**.

Acte III

Après de nouveaux éloges de la part des spectateurs, la représentation reprend **(sc. 1)**. Adrian renouvelle sa profession de foi devant Maximin et lui rappelle qu'il a lui-même persécuté les chrétiens quand il était au service de l'Empereur. Ce dernier l'envoie au cachot pour le faire torturer **(sc. 2)**, en invoquant les dieux païens qu'il pousse à la vengeance **(sc. 3)**. Confié au geôlier par le tribun Flavie **(sc. 4)**, le nouveau converti reçoit la visite de sa femme Natalie. Adrian la considère désormais comme une sœur et lui redonne sa liberté, quand elle lui révèle qu'elle est, elle aussi, chrétienne depuis son enfance, mais en secret, par crainte et par respect de son mari. Leur amour conjugal renaît alors ; Natalie promet d'aller embrasser son époux quand on le conduira au martyre **(sc. 5)**. Natalie déclare à Flavie qu'Adrian ne reviendra pas sur sa conversion ; elle feint de le regretter **(sc. 6)**. Restée seule, elle remercie le ciel pour la conversion de son mari, tout en s'exhortant à rendre publique sa propre foi **(sc. 7)**. La représentation est interrompue par Genest qui se plaint à la cour du tumulte de la foule **(sc. 8)**.

Acte IV

Le calme revenu, la représentation reprend **(sc. 1)**. Flavie dit à Adrian que l'empereur Maximin a voulu lui donner une dernière chance. Celui-ci l'a rejetée. Dieu est son seul monarque et il ne craint pas la mort atroce qu'on lui promet. Il demande seulement à revoir sa femme, seul à seule **(sc. 2)**. Adrian se réjouit de la revoir **(sc. 3)**. Natalie, voyant arriver Adrian sans chaîne, croit qu'il a renoncé au martyre, l'insulte et le repousse. Adrian la rassure sur l'authenticité de sa conversion. Sa femme l'encourage alors à quitter les vanités du monde pour la gloire céleste **(sc. 4)**. Anthyme, un vieux chrétien, vient conforter Adrian qui demande le baptême, en lui rappelant que ce sacrement est inutile pour un futur martyr. Genest exprime les sentiments d'Adrian avec une telle exaltation qu'oubliant son rôle, il découvre son masque et réclame pour lui-même la grâce du baptême, qu'il reçoit de manière miraculeuse de la main d'un ange derrière le décor. Les autres acteurs manquent leur réplique, mais admirent l'adresse de leur directeur qui improvise, croient-ils, pour cacher un défaut de mémoire. Dioclétian reste enthousiasmé par l'art de Genest, qui semble feindre merveilleusement les sentiments d'autrui **(sc. 5)**. Les acteurs finissent par s'inquiéter des débordements de Genest, tandis que les spectateurs admirent son art **(sc. 6)**. Mais Genest détrompe tout le monde **:** il déclare professer désormais la foi des chrétiens en son propre nom. Inutile de faire appel au souffleur ; c'est un ange qui dirige la pièce et qui l'a baptisé. Genest raconte comment il s'est converti après s'être longtemps moqué des chrétiens par son théâtre, et il se met à renier les faux dieux païens. Dioclétian, furieux, charge le préfet Plancien d'envoyer le comédien confesseur à la mort **(sc. 7)**. Plancien envoie Genest au cachot ; les comédiens interviennent en vain en faveur de leur directeur de troupe, tandis que Genest se réjouit de la récompense qui l'attend au ciel **(sc. 8)**. Le préfet Plancien interroge les autres acteurs suspects de complicité. Il les acquitte et leur permet d'inciter encore Genest à renoncer à sa foi **(sc. 9)**.

ACTE V

Seul dans sa prison, Genest chante par des stances les délices du ciel et la gloire du martyre **(sc. 1)**. La comédienne Marcelle pousse Genest à revenir au paganisme, ou du moins à feindre qu'il a renoncé au christianisme. Tous les acteurs de la troupe dépendent, en effet, de lui, et son talent dramatique lui ramènerait la faveur de l'Empereur. Peine perdue, le cœur de Genest est tout à Dieu. S'il a eu ses heures de gloire mondaine au théâtre, il recherche désormais l'humilité chrétienne. Il refuse même de dissimuler son christianisme : il s'est assez moqué de Dieu par son art **(sc. 2)**. Marcelle se retire et le geôlier emmène Genest **(sc. 3)**. Le geôlier ne parvient pas non plus à convaincre Genest **(sc. 4)**. Devant sa cour, Dioclétian affirme que le devoir des rois est de faire respecter les dieux auxquels les chrétiens s'opposent en nombre grandissant **(sc. 5)**. Pour le jour de son mariage avec Maximin, Valérie demande la grâce de Genest à son père, par pitié pour les acteurs de sa compagnie théâtrale. Celui-ci consent à laisser à l'acteur le temps de se repentir, mais il est trop tard **(sc. 6)**. Le préfet Plancien survient, annonçant la fin héroïque du martyr qu'aucun supplice n'a pu faire abjurer. Tous se retirent, satisfaits ou pleurant **(sc. 7)**.

ALTERNANCES DE LA PIÈCE-CADRE ET DE LA PIÈCE INTÉRIEURE

Pièce-cadre *Le martyre de Genest*	**Pièce intérieure** *Le martyre d'Adrian*
I, 1 à II, 6	
	II, 7 et 8
II, 9 et III, 1	
	III, 2 à 7
III, 8 et IV, 1	
	IV, 2 à 5 (v. 1242)
IV, 5 (v. 1243) à V, 7	

Note sur le texte

Du vivant de Rotrou, *Le Véritable Saint Genest* a été publié deux fois, en 1647 et en 1648, chez le libraire parisien Toussainct Quinet. En l'absence de tout manuscrit, et la deuxième parution n'étant qu'un retirage de l'édition originale, nous reproduisons ici, selon l'usage, le texte paru en 1648. On sait que Rotrou n'accordait pas beaucoup d'importance à la correction des épreuves, aussi la seconde parution conserve-t-elle bon nombre d'erreurs (bourdons, coquilles et leçons incorrectes pour la versification), que nous avons corrigées systématiquement. Nous mettons entre crochets les mots manquants et les corrections apportées aux mots erronés. Nous n'avons pas gardé les majuscules arbitraires aux noms communs, sauf dans les cas imposés ou autorisés par l'usage moderne, tels les termes désignant Dieu (ex. : « Ciel ») et « Empereur » désignant Dioclétian. Par ailleurs, selon la règle en vigueur dans l'édition du théâtre classique, afin de ne pas imposer aux lecteurs d'autres difficultés que celles du sens lui-même, nous avons pris le parti de rétablir la ponctuation et l'orthographe contemporaines, sauf dans les cas peu nombreux, signalés en note, où la versification en eût été modifiée (ex. : « fleau » pour *fléau*). Conformément aux principes de la collection, nous n'avons pas hésité à expliciter le sens du texte chaque fois qu'un écart existait entre la langue de Rotrou et la nôtre. Les renvois au lexique (*) concernent les termes disparus ou encore en usage dans la langue actuelle, mais dont le sens ou la forme (tout ou partie) ont changé. Les termes relevant de la technique théâtrale se trouvent expliqués en bas de page, ainsi que tout ce qui relève de l'interprétation du texte : explication des vers difficiles et éclaircissements d'ordre culturel.

Le Véritable Saint Genest

Tragédie

ACTEURS [1]

DIOCLÉTIAN, *empereur*
MAXIMIN, *empereur*
PLANCIEN, *préfet*
VALÉRIE, *fille de Dioclétian*
CAMILLE, *suivante*
GENEST, *comédien*
MARCELLE, *comédienne*
OCTAVE, *comédien*
SERGESTE, *comédien*
LENTULE, *comédien*
ALBIN, *comédien*
[LE] DÉCORATEUR
[LE] GEÔLIER
[LE PAGE]

ADRIAN [*ministre de Maximin*], [*représenté par*] GENEST.
NATALIE [*femme d'Adrian*], [*représenté par*] MARCELLE.
MAXIMIN [*Empereur*], [*représenté par*] OCTAVE.
FLAVIE [*tribun*], [*représenté par*] SERGESTE.
ANTHYME [*prêtre ou diacre*], [*représenté par*] LENTULE.
UN GARDE, [*représenté par*] ALBIN.

[LE] GEÔLIER
SUITE DE SOLDATS ET DE GARDES

[*La scène est à Nicomédie* [2]]

---

1. Désigne, au XVIIe siècle, les personnages de la pièce.
2. Ville de Bithynie (Asie Mineure) où Dioclétien fut proclamé empereur et où il établit sa cour.

ACTE PREMIER

Scène première

VALÉRIE, CAMILLE

CAMILLE

Quoi ! vous ne sauriez vaincre une frayeur si vaine * ?
Un songe, une vapeur * vous causent de la peine !
À vous sur qui [1] le Ciel, déployant ses trésors,
Mit un si digne esprit dans un si digne corps !

VALÉRIE

Le premier des Césars [2] apprit bien que les songes 5
Ne sont pas toujours faux et toujours des mensonges ;
Et la force d'esprit dont il fut tant vanté,
Pour l'avoir conseillé, lui coûta la clarté *.
Le Ciel, comme il lui plaît, nous parle sans obstacle ;
S'il veut, la voix d'un songe est celle d'un oracle, 10
Et les songes, surtout, tant de fois répétés,
Ou toujours, ou souvent, disent des vérités.
Déjà cinq ou six nuits à ma triste pensée
Ont de ce vil * hymen * la vision tracée,
M'ont fait voir un berger avoir assez d'orgueil 15
Pour prétendre à mon lit, qui serait mon cercueil,
Et l'Empereur [3], mon père, avec violence,

1. Dépend de « déployant ».
2. La veille de son assassinat, Jules César rêva qu'il était emporté au ciel, tandis que sa femme rêvait qu'il mourait percé de coups entre ses bras ; mais il n'en tint pas compte et se rendit quand même au sénat (Suétone, *Vie des Douze Césars*, I, 81).
3. Dioclétien (empereur romain de 284 à 313) maria en 293 sa fille Valeria à C. Galerius Valerius Maximianus, ou Galère, que Rotrou appelle Maximin.

De ce présomptueux appuyer l'insolence.
Je puis, s'il m'est permis, et si la vérité
20 Dispense * les enfants à quelque liberté,
De sa mauvaise humeur craindre un mauvais office ;
Je connais son amour, mais je crains son caprice,
Et vois qu'en tout rencontre * il suit aveuglément
La bouillante chaleur d'un premier mouvement.
25 Sut-il considérer, pour son propre hyménée *,
Sous quel joug [1] il baissait sa tête couronnée,
Quand, empereur, il fit sa couche et son État
Le prix de quelques pains qu'il emprunta soldat [2],
Et, par une faiblesse à nulle autre seconde *
30 S'associa ma mère à l'empire du monde ?
Depuis Rome souffrit * et ne réprouva pas
Qu'il commît un Alcide au fardeau d'un Atlas [3],
Qu'on vît sur l'univers deux têtes souveraines,
Et que Maximian en partageât les rênes.
35 Mais pourquoi pour un seul tant de maîtres divers,
Et pourquoi quatre chefs * au corps de l'univers ?
Le choix de Maximin et celui de Constance
Étaient-ils à l'État de si grande importance
Qu'il en dût recevoir beaucoup de fermeté,
40 Et ne pût subsister sans leur autorité ?
Tous deux différemment altèrent sa mémoire.
L'un par sa nonchalance, et l'autre par sa gloire [4] ;
Maximin, achevant tant de gestes * guerriers,

1. Ici, les liens du mariage.
2. Épisode emprunté à *Lo fingido verdadero* de Lope de Vega : Dioclétien, alors simple capitaine, rencontra une paysanne qui lui offrit des pains et lui prédit qu'il deviendrait empereur ; il la prit ensuite pour femme.
3. Allusion à la tétrarchie instaurée par Dioclétien : il partagea l'Empire en deux parties, gouvernées chacune par un Auguste assisté d'un César. Il s'associa Galère (ici Maximin), pour diriger la moitié occidentale et confia l'Orient à Maximien (ici Maximian) assisté de Constance, consolidant ce pouvoir à quatre têtes par une politique de mariages. L'allusion se complique d'une référence mythologique : Hercule (« Alcide », petit-fils d'Alcée), devait, parmi ses travaux, voler les pommes d'or au jardin des Hespérides ; il chargea Atlas, géant portant le monde sur ses épaules, d'aller cueillir les pommes pendant qu'il le remplacerait. De même, Dioclétian charge Maximin de porter une partie, jugée excessive par Valérie, du fardeau de l'Empire.
4. Cette antithèse entre les victoires de Maximin et les défaites de Constance est purement rhétorique, sans fondement historique.

Semble au front de mon père en voler les lauriers [1] ;
Et Constance, souffrant * qu'un ennemi l'affronte, 45
Dessus son même front * [2] en imprime la honte.
Ainsi, ni dans son bon, ni dans son mauvais choix,
D'un conseil * raisonnable il n'a suivi les lois,
Et, déterminant tout au gré de son caprice,
N'en prévoit le succès * ni craint le préjudice. 50

CAMILLE

Vous prenez trop l'alarme, et ce raisonnement
N'est point à votre crainte un juste fondement.
Quand Dioclétian éleva votre mère
Au degré le plus haut que l'univers révère [3],
Son rang qu'il partageait n'en devint point plus bas, 55
Et [l'y] faisant monter, il n'en descendit pas ;
Il put concilier son honneur et sa flamme *,
Et, choisi par les siens [4], se choisir une femme ;
Quelques associés qui règnent avec lui,
Il est de ses États le plus solide appui : 60
S'ils sont les matelots de cette grande flotte [5],
Il en tient le timon, il en est le pilote,
Et ne les associe à des emplois si hauts
Que pour voir des Césars au rang de ses vassaux.
Voyez comme un fantôme, un songe, une chimère *, 65
Vous fait mal expliquer les mouvements d'un père,
Et qu'un trouble importun vous naît mal à propos
D'où doit si justement naître votre repos.

VALÉRIE

Je ne m'obstine point d'un effort volontaire [6]
Contre tes sentiments en faveur de mon père, 70

1. Semble voler la gloire de ses victoires à Dioclétian, qui aurait dû être couronné des lauriers du triomphe.
2. Constance, par ses défaites, inflige à Dioclétien une honte que ce dernier porte sur son visage (« son même front »).
3. En faisant d'une paysanne une impératrice (cf. v. 28).
4. Dioclétien, officier de petite origine, fut proclamé Auguste par ses troupes.
5. Métaphore usuelle comparant le gouvernement de l'État à celui d'un navire.
6. Volontairement.

Et contre un père enfin l'enfant a toujours tort.
Mais me répondras-tu des caprices du sort ?
Ce monarque insolent, à qui toute la terre
Et tous ses souverains sont des jouets de verre,
75 Prescrit-il [1] son pouvoir ? et quand il en est las,
Comme [2] il les a formés, ne les brise-t-il pas ?
Peut-il pas [3], s'il me veut dans un état vulgaire *,
Mettre la fille au point dont il tira la mère,
Détruire ses faveurs par sa légèreté,
80 Et de mon songe enfin faire une vérité ?
Il est vrai que la mort, contre son inconstance,
Aux grands cœurs, au besoin, offre son assistance [4],
Et peut toujours braver son pouvoir insolent ;
Mais si c'est un remède, il est bien violent.

CAMILLE

85 La mort a trop d'horreur pour espérer en elle ;
Mais espérez au [5] Ciel qui vous a fait si belle,
Et qui semble influer * avecque * la beauté
Des marques de puissance et de prospérité.

Scène 2

UN PAGE,
VALÉRIE, CAMILLE

LE PAGE

Madame…

VALÉRIE

Que veux-tu ?

LE PAGE

L'Empereur, qui m'envoie,
90 Sur ses pas avec vous vient partager sa joie.

---

1. Fait-il oublier (sens juridique de prescription).
2. Aussitôt que.
3. Ne peut-il pas (l'omission de la particule interrogative est fréquente dans l'interrogation).
4. Valérie menace de se suicider pour se protéger de l'« inconstance » de son père.
5. Dans le.

VALÉRIE

Quelle [1] ?

LE PAGE

L'ignorez-vous ? Maximin, de retour
Des pays reculés où se lève le jour [2],
De leurs rébellions, par son bras étouffées,
Aux pieds de l'Empereur apporte les trophées [3],
Et de là se dispose à l'honneur de vous voir. 95

Il s'en va.

CAMILLE

Sa valeur * vous oblige à le bien recevoir.
Ne lui retenez pas * le fruit de sa victoire :
Le plus grand des larcins est celui de sa gloire.

VALÉRIE

Mon esprit, agité d'un secret mouvement,
De cette émotion chérit le sentiment * ; 100
Et cet heur * inconnu, qui flatte ma pensée,
Dissipe ma frayeur et l'a presque effacée.
Laissons notre conduite à la bonté des dieux.

Voyant Maximin.

Ô Ciel ! qu'un doux travail * m'entre au cœur par les yeux [4] !

Scène 3

DIOCLÉTIAN, MAXIMIN, VALÉRIE, CAMILLE,
PLANCIEN, GARDES, SOLDATS

Il se fait un bruit de tambours et de trompettes. Maximin baise les mains de Valérie.

DIOCLÉTIAN

Déployez, Valérie, et vos traits * et vos charmes * ; 105
Au vainqueur d'Orient faites tomber les armes ;

---

1. Laquelle ?
2. Ces pays lointains de l'Orient désignent l'Inde (cf. v. 129).
3. Pendant le triomphe, on portait en procession le butin pris à l'ennemi.
4. Tournure précieuse.

Par lui l'Empire est calme et n'a plus d'ennemis.
Soumettez ce grand cœur qui nous a tout soumis ;
Chargez de fers un bras fatal à tant de têtes [1],
110 Et faites sa prison le prix de ses conquêtes [2].
Déjà par ses exploits il l'avait mérité
La part que je lui fis de mon autorité ;
Et sa haute vertu, réparant sa naissance,
Lui fit sur mes sujets partager ma puissance.
115 Aujourd'hui que, pour prix des pertes de son sang,
Je ne puis l'honorer d'un plus illustre rang,
Je lui dois mon sang [3] même, et, lui donnant ma fille,
Lui fais part de mes droits sur ma propre famille.
Ce présent, Maximin, est encore au-dessous
120 Du service important que j'ai reçu de vous ;
Mais, pour faire vos prix égaux à vos mérites [4],
La terre trouverait ses bornes trop petites ;
Et vous avez rendu mon pouvoir impuissant,
Et restreint envers vous ma force en l'accroissant [5].

MAXIMIN

125 La part que vos bontés m'ont fait prendre en l'Empire
N'égale point, Seigneur, ces beaux fers où j'aspire.
Tous les arcs triomphants [6] que Rome m'a dressés [7]
Cèdent à la prison que vous me bâtissez ;
Et de victorieux des bords que l'Inde lave * [8],
130 J'accepte plus content la qualité d'esclave,

---

1. Le vers combine une métaphore et deux synecdoques : « fers » = liens de l'amour ; « bras » = Maximin ; « têtes » = hommes.
2. Et récompensez ses conquêtes en le soumettant au joug du mariage.
3. Jeu sur le mot « sang », signifiant race, progéniture (ici) et sang perdu au combat (vers 115).
4. Pour vous récompenser à la hauteur de vos mérites.
5. Tout en servant le pouvoir de Dioclétian, Maximin s'est hissé à sa hauteur, diminuant ainsi l'emprise de Dioclétian sur lui.
6. L'arc de triomphe célébrait autant une victoire ponctuelle que l'Empereur lui-même, perpétuel vainqueur, et sa suprématie sur le reste de l'humanité, lui permettant de laisser à l'urbanisme son empreinte prestigieuse.
7. Le succès de la campagne d'Arménie fut célébré par un triomphe commun de Dioclétian et de « Maximin » (Galère) en 303.
8. L'Inde, baignée par le fleuve Indus (ici « Inde »). En réalité, Maximin triompha de Narsès en Asie Mineure, et en 297, donc après son mariage avec Valérie en 293.

Que dépouillant ce corps vous ne prendrez aux cieux
Le rang par vos vertus acquis entre les dieux [1] ;
Mais oser concevoir cette insolente audace
Est plutôt mériter son mépris que sa grâce *,
Et quoi qu'ait fait ce [2] bras, il ne m'a point acquis 135
Ni ces titres fameux, ni ce renom exquis *
Qui des extractions * effacent la mémoire.
Quand à sa vertu seule il faut devoir sa gloire,
Quelque insigne avantage et quelque illustre rang
Dont vous ayez couvert le défaut de mon sang, 140
Quoi que l'on dissimule, on pourra toujours dire
Qu'un berger est assis au trône de l'Empire [3],
Qu'autrefois mes palais ont été des hameaux,
Que qui gouverne Rome a conduit des troupeaux,
Que pour prendre le fer j'ai quitté la houlette, 145
Et qu'enfin votre ouvrage est une œuvre imparfaite.
Puis-je, avec ce défaut non encor réparé,
M'approcher d'un objet digne d'être adoré ?
Espérer de ses vœux * les glorieuses marques ?
Prétendre d'étouffer l'espoir de cent monarques [4] ? 150
Passer ma propre attente ? et me faire des dieux,
Sinon des ennemis, au moins des envieux [5] ?

DIOCLÉTIAN

Suffit [6] que c'est mon choix, et que j'ai connaissance
Et de votre personne et de votre naissance,
Et que si l'une enfin n'admet un rang si haut, 155
L'autre par sa vertu répare son défaut,
Supplée à la nature, élève sa bassesse,

---

1. Comprendre : « j'accepte avec plus de contentement le rang d'esclave que vous ne prendrez, à votre mort, place parmi les dieux ». À leur mort, les empereurs étaient divinisés par le sénat au cours de la cérémonie de l'apothéose ; un culte et un collège de prêtres leur étaient attachés.
2. Mon bras (au sens du *hic* latin).
3. Double allusion aux origines pastorales de Rome racontées par Tite-Live et à la figure biblique du Bon Pasteur, qui sert traditionnellement de référence au roi chrétien.
4. Détruire l'espoir des autres prétendants.
5. Le général triomphant, portant le costume de Jupiter, était particulièrement menacé par la jalousie des dieux (Némésis), qu'une série de rites visait à éloigner.
6. Il suffit.

Se reproduit soi-même et forme sa noblesse [1].
À combien de bergers les Grecs et les Romains
160 Ont-ils pour leur vertu vu des sceptres aux mains [2] ?
L'histoire, des grands cœurs * la plus chère espérance,
Que le temps traite seule avecque * révérence,
Qui ne redoutant rien ne peut rien respecter,
Qui se produit sans fard * et parle sans flatter,
165 N'a-t-elle pas cent fois publié la louange
Des gens que leur mérite a tirés de la fange,
Qui par leur industrie * ont leurs noms éclaircis *,
Et sont montés au rang où nous sommes assis ?
Cyrus, Sémiramis, sa fameuse adversaire [3],
170 Noms qu'encor aujourd'hui la mémoire révère,
Lycaste, Parrasie [4], et mille autres divers,
Qui dans les premiers temps ont régi l'univers ;
Et récemment encor dans Rome, Vitellie,
Gordian, Pertinax, Macrin, Probe, Aurélie [5],
175 N'y sont-ils pas montés ? et fait de mêmes mains
Des règles aux troupeaux et des lois aux humains ?
Et moi-même enfin, moi, qui de naissance obscure [6]

---

1. Sa lignée. La noblesse acquise par le mérite devient héréditaire.
2. Les Romains furent toujours fiers de leurs origines paysannes, garantes de l'austérité des mœurs. Ils montraient sur le Palatin la cabane au toit de chaume du berger Faustulus, qui avait recueilli Romulus et Rémus, et citaient en exemple le dictateur Cincinnatus, qui cultivait son champ quand on vint lui demander de gouverner l'État.
3. Anachronisme : Cyrus, roi de Perse (550-530 av. J.-C.) attaqua bien l'Empire babylonien, mais deux siècles après le règne de Sémiramis (810-782). Selon la légende, tous deux durent leur survie à d'humbles nomades : Cyrus fut confié pour être tué à un parent qui le confia à son tour à un bouvier, et celui-ci sauva l'enfant. Sémiramis fut élevée par des colombes et découverte par des bergers.
4. Lycastos et Parrhasios sont les jumeaux d'Arès et de la nymphe Phylonomé. Exposés par leur mère sur le mont Érymanthe, ils furent nourris par une louve et recueillis par un berger, puis s'emparèrent du pouvoir en Arcadie. Le parallélisme avec l'histoire de Romulus et Rémus est évident.
5. Ces six empereurs romains – Vitellius (69), Gordien (238), Pertinax (193), Macrin (217-218), Probus (276-282), Aurélien (270-276) – sont des empereurs-soldats, amenés au pouvoir par leurs troupes, comme Dioclétien. Ils ont en commun leur origine modeste (fils d'affranchis comme Macrin et Pertinax) et provinciale (l'Afrique pour Macrin, Gordien et Probus ; la Pannonie pour Aurélien).
6. Si Dioclétien était de modeste origine, Maximin était fils de berger.

Dois mon sceptre à moi-même et rien à la nature,
N'ai-je pas lieu de croire en cet illustre rang,
Le mérite dans l'homme et non pas dans le sang ? 180
D'avoir à qui l'accroît fait part de ma puissance [1],
Et choisi la personne et non pas la naissance ?

À Valérie.

Vous, cher fruit de mon lit, beau prix de ses exploits [2],
Si ce front * n'est menteur, vous approuvez mon choix,
Et tout ce que l'amour [peut marquer] d'allégresse 185
Sur le front d'une fille amante *, mais princesse,
Y fait voir sagement que mon élection *
Se trouve un digne objet de votre passion.

VALÉRIE

Ce choix étant si rare, et venant de mon père,
Mon goût serait mauvais s'il se trouvait contraire. 190
Oui, Seigneur, je l'approuve, et bénis le destin
D'un heureux accident * que j'ai craint ce matin.

Se tournant vers Camille.

Mon songe est expliqué : j'épouse en ce grand homme
Un berger, il est vrai, mais qui commande à Rome.
Le songe m'effrayait, et j'en chéris l'effet * ; 195
Et ce qui fut ma peur est enfin mon souhait.

MAXIMIN, *lui baisant la main.*

Ô favorable arrêt *, qui me comble de gloire,
Et fait de ma prison ma plus digne victoire !

CAMILLE

Ainsi souvent le Ciel conduit tout à tel point
Que ce qu'on craint arrive, et qu'il n'afflige point, 200
Et que ce qu'on redoute est enfin ce qu'on aime.

l'idée de Ciel
qui parle
→ présageant

1. J'ai confié mon pouvoir à un homme susceptible de l'accroître.
2. Récompense des exploits de Maximin.

Scène 4

UN PAGE, DIOCLÉTIAN, MAXIMIN,
VALÉRIE, CAMILLE, PLANCIEN,
GARDES, SOLDATS

LE PAGE

Genest attend, Seigneur, dans un désir extrême
De s'acquitter des vœux * dus à Vos Majestés.

Il sort.

DIOCLÉTIAN

Qu'il entre.

CAMILLE, *à Valérie.*

Il manquait seul à vos prospérités ;
205 Et quel que soit votre heur *, son art, pour le parfaire,
Semble en quelque façon vous être nécessaire.
Madame, obtenez-nous ce divertissement
Que vous-même estimez et trouvez si charmant.

Scène 5

GENEST, DIOCLÉTIAN, MAXIMIN,
PLANCIEN, VALÉRIE, CAMILLE,
GARDES, SOLDATS

GENEST

Si parmi vos sujets une abjecte fortune
210 Permet de partager l'allégresse commune [1],
Et de contribuer, en ces communs désirs [2],
Sinon à votre gloire, au moins à vos plaisirs,
Ne désapprouvez pas, ô généreux * monarques,
Que notre affection vous produise ses marques,
215 Et que mes compagnons vous offrent par ma voix,
Non des tableaux parlants de vos rares * exploits,

1. S'il est permis à d'humbles sujets de partager l'allégresse commune.
2. Le désir que le mariage se réalise, partagé par Dioclétian, Maximin et Valérie.

Non cette si célèbre et si fameuse histoire
Que vos heureux succès laissent à la mémoire
(Puisque le peuple grec non plus que le romain
N'a point pour les [tracer] une assez docte main), 220
Mais quelque effort * au moins par qui [1] nous puissions dire
Vous avoir délassés du grand faix de l'Empire
Et, par ce que notre art aura de plus charmant *,
Avoir à vos grands soins * ravi quelque moment.

DIOCLÉTIAN

Genest, ton soin * m'oblige, et la cérémonie 225
Du beau jour où ma fille à ce prince est unie,
Et qui met notre joie en un degré si haut,
Sans un trait de ton art aurait quelque défaut.
Le théâtre aujourd'hui, fameux par ton mérite,
À ce noble plaisir puissamment sollicite * ; 230
Et dans l'état qu'il est ne peut, sans être ingrat,
Nier de [te] devoir son plus brillant éclat ;
Avec confusion j'ai vu cent fois tes feintes
Me livrer malgré moi de sensibles * atteintes ;
En cent sujets divers, suivant tes mouvements, 235
J'ai reçu de tes feux * de vrais ressentiments * ;
Et l'empire absolu que tu prends sur une âme
M'a fait cent fois de glace et cent autres de flamme.
Par ton art les héros, plutôt ressuscités
Qu'imités en effet * et que représentés, 240
Des cent et des mille ans après leurs funérailles,
Font encor des progrès * et gagnent des batailles,
Et sous leurs noms fameux établissent des lois :
Tu me fais en toi seul maître de mille rois.
Le comique [2], où ton art également [3] succède *, 245
Est contre la tristesse un si présent remède
Qu'un seul mot, quand tu veux, un pas, une action
Ne laisse plus de prise à cette passion,
Et, par une soudaine et sensible merveille,
Jette la joie au cœur par l'œil ou par l'oreille. 250

---

1. Par lequel.
2. Le genre comique, la comédie.
3. Aussi bien.

GENEST

Cette gloire *, Seigneur, me confond à tel point…

DIOCLÉTIAN

Crois qu'elle est légitime, et ne t'en défends point.
Mais passons aux auteurs, et dis-nous quel ouvrage
Aujourd'hui dans la scène a le plus haut suffrage,
255 Quelle plume est en règne, et quel fameux esprit
S'est acquis dans le cirque [1] un plus juste crédit.

GENEST

Les goûts sont différents, et souvent le caprice
Établit ce crédit bien plus que la justice.

DIOCLÉTIAN

Mais entre autres encor, qui l'emporte, en ton sens ?

GENEST

260 Mon goût, à dire vrai, n'est point pour les récents ;
De trois ou quatre au plus peut-être la mémoire
Jusqu'aux siècles futurs conservera la gloire ;
Mais de les égaler à ces fameux auteurs
Dont les derniers des temps seront adorateurs [2],
265 Et de voir leurs travaux avec la révérence
Dont je vois les écrits d'un Plaute et d'un Térence [3],
Et de ces doctes Grecs, dont les rares * brillants *
Font qu'ils vivent encor si beaux après mille ans,
Et dont l'estime enfin ne peut être effacée
270 Ce serait vous mentir et trahir ma pensée.

DIOCLÉTIAN

Je sais qu'en leurs écrits l'art et l'invention
Sans doute ont mis la scène en sa perfection ;
Mais ce que l'on a vu n'a plus la douce amorce *

---

1. Le cirque était le cadre des jeux, comprenant parfois des représentations théâtrales.
2. Genest oppose les auteurs récents aux Anciens, qui ont atteint l'immortalité par la perfection de leurs œuvres.
3. Auteurs de comédies latines (254-184 et 185-159 av. J.-C.). Rotrou s'est inspiré de Plaute dans plusieurs comédies.

Ni le vif aiguillon dont la nouveauté force [1] ;
Et ce qui surprendra nos esprits et nos yeux, 275
Quoique moins achevé, nous divertira mieux.

GENEST

Nos plus nouveaux sujets, les plus dignes de Rome,
Et les plus grands efforts * des veilles d'un grand homme [2]
À qui les rares * fruits que la Muse [3] produit
Ont acquis dans la scène un légitime bruit * 280
Et de qui certes l'art comme l'estime est juste,
Portent les noms fameux de Pompée et d'Auguste.
Ces poèmes sans prix, où son illustre main
D'un pinceau sans pareil a peint l'esprit romain,
Rendront de leurs beautés votre oreille idolâtre, 285
Et sont aujourd'hui l'âme et l'amour du théâtre.

VALÉRIE

J'ai su la haute estime où l'on les a tenus ;
Mais leurs sujets enfin sont des sujets connus ;
Et quoi qu'ils aient de beau, la plus rare * merveille *,
Quand l'esprit la connaît, ne surprend plus l'oreille. 290
Ton art est toujours même [4], et tes charmes égaux
Aux [5] sujets anciens aussi bien qu'aux nouveaux ;
Mais on vante surtout l'inimitable adresse
Dont tu feins d'un chrétien le zèle * et l'allégresse,
Quand, le voyant marcher du baptême au trépas, 295
Il semble que les feux soient des fleurs [6] sous tes pas.

MAXIMIN

L'épreuve * en est aisée.

[GENEST]

Elle sera sans peine,

---

1. Emporte l'adhésion, convainc.
2. Corneille, auteur de *La Mort de Pompée* (1644) et de *Cinna* (1643). Cet hommage de Rotrou est une trace, avec l'épître précédant *La Veuve* de Corneille (1634), des liens entre les deux dramaturges.
3. La poésie en général, et non l'une des neuf Muses présidant aux arts libéraux, car il faudrait citer pour les arts de la scène les Muses de la comédie, de la tragédie, de la pantomime, de la danse et de la lyrique chorale.
4. Le même.
5. Dans les.
6. Image précieuse : les souffrances du martyre paraissent agréables.

Si votre nom, Seigneur, nous est libre en la scène [1] ;
Et la mort d'Adrian, l'un de ces obstinés
300 Par vos derniers arrêts naguère condamnés [2],
Vous sera figurée avec un art extrême,
Et si peu différent de la vérité même
Que vous nous avouerez de * cette liberté
Où César à César [3] sera représenté,
305 Et que vous douterez si [4] dans Nicomédie [5]
Vous verrez l'effet * même ou bien la comédie *.

MAXIMIN

Oui, crois qu'avec plaisir je serai spectateur
En la même action dont je serai l'acteur.
Va, prépare un effort * digne de la journée
310 Où le Ciel, m'honorant d'un si juste hyménée *,
Met, par une aventure * incroyable aux neveux *,
Mon bonheur et ma gloire au-dessus de mes vœux.

---

1. Si vous nous autorisez à utiliser votre nom dans notre fiction de théâtre.
2. Anachronisme : saint Adrien a été martyrisé en 306 ou 310, plus de dix ans après Genest.
3. Maximin, César de l'Empire d'Orient, qui martyrisa Adrien, se verra joué dans la pièce par l'acteur Octave.
4. Vous ne saurez si (latinisme).
5. Le mariage de Maximin eut bien lieu à Nicomédie (cf. la première didascalie), mais Adrien fut martyrisé à Rome.

ACTE II

Scène première

[GENEST, LE DÉCORATEUR]

Le théâtre s'ouvre.

GENEST, *s'habillant, et tenant son rôle*[1], *considère le théâtre et dit au décorateur.*

Il est beau ; mais encore, avec peu de dépense,
Vous pouviez ajouter à sa magnificence,
N'y laisser rien d'aveugle[2], y mettre plus de jour, 315
Donner plus de hauteur aux travaux[3] d'alentour,
En marbrer les dehors[4], en jasper[5] les colonnes,
Enrichir leurs tympans, leurs cimes, leurs couronnes[6],
Mettre en vos coloris plus de diversité,
En vos carnations[7] plus de vivacité, 320
Draper[8] mieux ces habits, reculer ces paysages[9],

1. Tenant son texte à la main.
2. Qui empêche la lumière de passer.
3. Édifices de bois entourant la scène.
4. Les façades.
5. Donner l'aspect du jaspe (pierre veinée de diverses couleurs) par des veines et des taches peintes ; comme « marbrer », donner l'aspect du marbre.
6. Enrichir d'ornements (sculptés et peints) les trois parties du fronton surmontant la colonne : le tympan, partie triangulaire centrale, est bordé par une cime et repose sur une couronne qui le sépare du fût.
7. La carnation est la partie du coloris destinée à peindre les chairs, c'est-à-dire toutes les parties non habillées des personnages.
8. Dans l'art antique et classique, l'art du drapé consiste à disposer les étoffes en plis harmonieux.
9. Synérèse (« paysage » est dissyllabique). Faire paraître les paysages plus lointains, grâce à la perspective.

Y lancer des jets d'eau, renfondrer [1] leurs ombrages [2],
Et surtout en la toile où vous peignez vos cieux
Faire un jour naturel [3], au jugement des yeux ;
325 Au lieu que la couleur m'en semble un peu meurtrie [4].

LE DÉCORATEUR

Le temps nous a manqué, plutôt que l'industrie * ;
Joint qu'on voit mieux de loin ces raccourcissements [5],
Ces corps sortant du plan de ces renfondrements ;
L'approche à ces dessins ôte leurs perspectives,
330 En confond les faux jours, rend leurs couleurs moins vives,
Et, comme à la nature, est nuisible à notre art [6]
À qui l'éloignement semble apporter du fard *.
La grâce * une autre fois y sera plus entière.

GENEST

Le temps nous presse ; allez, préparez la lumière.

Scène 2

GENEST *seul, se promenant, et lisant son rôle,*
*dit comme en repassant * et achevant de s'habiller.*

335 « Ne délibère plus, Adrian, il est temps
De suivre avec ardeur ces fameux combattants ;
Si la gloire te plaît, l'occasion est belle ;
La querelle * du Ciel à ce combat t'appelle ;
La torture, le fer et la flamme t'attend [7] ;

1. En peinture, « renfondrer » consiste à faire paraître les objets plus lointains, en accentuant leur diminution ; au théâtre, le renfondrement désigne en outre une ouverture, une échappée sur un second décor à l'arrière-plan.
2. « Ombrages » désigne à la fois des forêts et (sens technique) des objets aux couleurs tempérées pour créer la perspective.
3. Une lumière imitant la lumière extérieure, par opposition au faux jour, lumière visant à faire ressortir artificiellement les couleurs.
4. Couleur atténuée par des vernis.
5. Raccourcis, effets de perspective consistant à présenter les objets plus petits, pour en accentuer la profondeur.
6. Le point de vue du spectateur trop rapproché détruit à la fois la ressemblance à la nature et l'effet de la peinture.
7. Accord au singulier (latinisme).

Offre à leurs cruautés un cœur * ferme et constant ; 340
Laisse à de lâches cœurs verser d'indignes larmes,
Tendre aux tyrans les mains et mettre bas les armes ;
Toi, [tends] la gorge au fer, vois-en couler ton sang,
Et meurs sans t'ébranler, debout, et dans ton rang.

Il répète encore ces quatre derniers vers.

Laisse à de lâches cœurs [verser d'indignes larmes, 345
Tendre aux tyrans les mains et mettre bas les armes ;
Toi, tends la gorge au fer, vois-en couler ton sang,
Et meurs sans t'ébranler, debout, et dans ton rang [1].] »

Scène 3

MARCELLE, *achevant de s'habiller,*
et tenant son rôle [2] [,GENEST]

[MARCELLE]

Dieux ! comment en ce lieu faire la comédie * ?
De combien d'importuns j'ai la tête étourdie ! 350
Combien à les ouïr je fais de languissants !
Par combien d'attentats * j'entreprends sur les sens [3] !
Ma voix rendrait les bois et les rochers sensibles [4] ;
Mes plus simples regards sont des meurtres visibles [5] ;
Je foule autant de cœurs que je marche de pas ; 355
La troupe, en me perdant, perdrait tous ses appas ;
Enfin, s'ils disent vrai, j'ai lieu d'être bien vaine *.
De ces faux * courtisans toute ma loge est pleine ;
Et lasse au dernier point d'entendre leurs douceurs,
Je les en ai laissés absolus possesseurs [6]. 360
Je crains plus que la mort cette engeance idolâtre
De lutins importuns qu'engendre le théâtre,

---

1. Tirade reprise en II, 7, vers 477-486.
2. Cf. didascalie au v. 313.
3. Combien d'assauts je livre aux sens.
4. Allusion à Orphée, qui charmait par son chant les animaux et les rochers.
5. Jeu sur le mot « visible » : le meurtre est manifeste et consiste en œillades.
6. Je les ai laissés seuls dans ma loge.

Et que la qualité de la profession
Nous oblige à souffrir * avec discrétion *.

GENEST

365 Outre le vieil usage où nous trouvons le monde,
Les vanités encor dont votre sexe abonde
Vous font avec plaisir supporter cet ennui *,
Par qui [1] tout votre temps devient le temps d'autrui.
Avez-vous repassé * cet endroit pathétique
370 Où Flavie en sortant vous donne la réplique,
Et vous souvenez-vous qu'il s'y faut exciter * [2] ?

MARCELLE, *lui baillant * son rôle.*

J'en prendrai votre avis, oyez-moi réciter.

Elle répète.

« J'ose à présent, ô Ciel, d'une vue assurée,
Contempler les brillants * de ta voûte azurée,
375 Et nier ces faux dieux qui n'ont jamais foulé
De ce palais roulant le lambris étoilé [3].
À ton pouvoir, Seigneur, mon époux rend hommage ;
Il professe ta foi [4], ses fers t'en sont un gage * ;
Ce redoutable fleau * [5] des dieux sur les chrétiens,
380 Ce lion altéré du sacré sang des tiens,
Qui de tant d'innocents crut la mort légitime,
De ministre [6] qu'il fut, s'offre enfin pour victime,
Et patient agneau [7], tend à tes ennemis
Un col * à ton saint joug [8] heureusement * soumis [9]. »

---

1. Par lequel.
2. Ici s'insère le fragment rajouté découvert en 1950 (voir le chapitre 3 du dossier, « Apologie et paradoxe du comédien », p. 146-150).
3. La voûte céleste (image précieuse).
4. Sa foi en toi.
5. Comme saint Paul, Adrien persécutait les chrétiens avant de se convertir.
6. À la fois agent de la persécution et sacrificateur.
7. Tel le Christ, agneau de Dieu, souffrant (« patient ») et immolé pour racheter le monde, dont le sacrifice sert de modèle au martyr.
8. Métaphore désignant couramment la vie à la suite du Christ : « Mon joug est facile à porter et mon fardeau léger » (Mt, 11, 30).
9. Tirade reprise en III, 7, v. 999-1010.

GENEST

Outre que dans la cour que vous avez charmée * 385
On sait que votre estime [1] est assez confirmée,
Ce récit * me surprend, et vous peut acquérir
Un renom au théâtre à ne jamais mourir [2].

MARCELLE

Vous [m'] en croyez bien plus que je ne m'en présume.

GENEST

La cour viendra bientôt ; commandez qu'on allume. 390

Scène 4

GENEST *seul, repassant * son rôle, et se promenant.*

« Il serait, Adrian, honteux d'être vaincu ;
Si ton Dieu veut ta mort, c'est déjà trop vécu.
J'ai vu, Ciel, tu le sais par le nombre des âmes
Que j'osai t'envoyer par des chemins de flammes,
Dessus les grils ardents et dedans les taureaux [3], 395
Chanter les condamnés et trembler les bourreaux. »

Il répète ces quatre vers.

« J'ai vu, Ciel, tu le sais, [par le nombre des âmes
Que j'osai t'envoyer par des chemins de flammes,
Dessus les grils ardents et dedans les taureaux,
Chanter les condamnés et trembler les bourreaux [4]. »] 400

*[Marcelle] rentre [dans les coulisses]. Et puis, ayant un peu rêvé * et ne regardant plus son rôle, il dit :*

Dieux, prenez contre moi ma défense et la vôtre ;
D'effet * comme de nom je me trouve être un autre ;

---

1. L'estime qu'on a pour vous.
2. Propre à vous rendre immortelle.
3. Il arrivait qu'on martyrisât les chrétiens en les faisant brûler dans des taureaux de bronze, supplice représenté sur scène, dans le *Saint Eustache martyr* de Baro (1636 ?), V, 5.
4. Tirade reprise en II, 7, v. 493-498.

Je feins moins Adrian que je ne le deviens,
Et prends avec son nom des sentiments chrétiens.
405 Je sais, pour l'éprouver, que par un long étude *
L'art de nous transformer nous passe en habitude,
Mais il semble qu'ici des vérités sans fard
Passent * et l'habitude et la force de l'art,
Et que Christ me propose une gloire * éternelle
410 Contre qui [1] ma défense est vaine et criminelle ;
J'ai pour suspects vos noms de dieux et d'immortels,
Je répugne aux respects qu'on rend à vos autels ;
Mon esprit, à vos lois secrètement rebelle,
En conçoit un mépris qui fait mourir son zèle * ;
415 Et, comme de profane enfin sanctifié [2],
Semble se déclarer pour un crucifié [3] ;
Mais où va ma pensée, et par quel privilège
Presque insensiblement passé-je au sacrilège,
Et du pouvoir des dieux perds-je le souvenir ?
420 Il s'agit d'imiter, et non de devenir.

Le ciel s'ouvre avec des flammes, et une voix s'entend, qui dit [4].

[UNE VOIX]

Poursuis, Genest, ton personnage ;
Tu n'imiteras point en vain ;
Ton salut ne dépend que d'un peu de courage,
Et Dieu t'y prêtera la main.

GENEST, *étonné *, continue.*

425 Qu'entends-je, juste Ciel, et par quelle merveille *,
Pour me toucher le cœur, me frappes-tu l'oreille ?
Souffle doux et sacré qui me viens enflammer,

---

1. Contre laquelle.
2. Comme s'il n'était plus païen, mais rendu saint par la foi.
3. Semble prendre le parti du Christ.
4. La description de la machine de théâtre se double d'une référence biblique : « Et voici que les cieux s'ouvrirent : il vit l'Esprit de Dieu descendre comme une colombe et venir sur lui. Et voici qu'une voix revue des cieux disait. » (Mt, 3, 16-17).

Esprit saint et divin qui me viens animer [1],
Et qui me souhaitant [2] m'inspires le courage,
Travaille à mon salut, achève ton ouvrage ; 430
Guide mes pas douteux * dans le chemin des cieux,
Et pour me les ouvrir dessille-moi les yeux.
Mais, ô vaine * créance * et frivole pensée,
Que du Ciel cette voix me doive être adressée !
Quelqu'un s'apercevant du caprice * où j'étais, 435
S'est voulu divertir par cette feinte voix,
Qui d'un si prompt effet m'excite tant de flamme,
Et qui m'a pénétré jusqu'au profond de l'âme.
Prenez, dieux, contre Christ, prenez votre parti,
Dont ce rebelle cœur s'est presque départi * ; 440
Et toi contre les dieux, ô Christ, prends ta défense,
Puisque à tes lois ce cœur fait encor résistance ;
Et dans l'onde agitée où flottent mes esprits,
Terminez votre guerre, et m'en faites le prix [3].
Rendez-moi le repos dont ce trouble me prive. 445

Scène 5

LE DÉCORATEUR, *venant allumer les chandelles*, GENEST

LE DÉCORATEUR

Hâtez-vous, il est temps, toute la cour arrive.

GENEST

Allons. Tu m'as distrait d'un rôle glorieux *
Que je représentais devant la cour des cieux
Et de qui [4] l'action m'est d'importance extrême,
Et n'a pas un objet moindre que le Ciel même. 450
Préparons la musique, et laissons-les placer.

LE DÉCORATEUR, *s'en allant, ayant allumé.*

Il repassait * son rôle et s'y veut surpasser.

---

1. Adrian invoque l'Esprit-Saint en paraphrasant l'hymne liturgique du *Veni Sancte Spiritus*.
2. Me souhaitant le courage.
3. Sacrifiez-moi au vainqueur.
4. Dont.

Scène 6

DIOCLÉTIAN, MAXIMIN, VALÉRIE, CAMILLE, PLANCIEN, SUITE DE SOLDATS, GARDES

VALÉRIE

Mon goût, quoi qu'il en soit, est pour la tragédie ;
L'objet en est plus haut *, l'action plus hardie ;
455 Et les pensers * [1] pompeux et pleins de majesté
Lui donnent plus de poids et plus d'autorité.

MAXIMIN

Elle l'emporte enfin par les illustres marques
D'exemple des héros, d'ornement des monarques,
De règle et de mesure à leurs affections [2],
460 Par ses événements et par ses actions.

PLANCIEN

Le théâtre aujourd'hui, superbe en sa structure,
Admirable en son art, et riche en sa peinture [3],
Promet pour le sujet de mêmes qualités.

MAXIMIN

Les effets * en sont beaux, s'ils sont bien imités.
465 Vous verrez un des miens [4], d'une insolente audace,
Au mépris de la part qu'il s'acquit en ma grâce *,
Au mépris de ses jours, au mépris de nos dieux,
Affronter le pouvoir de la terre et des cieux,
Et faire à mon amour succéder tant de haine
470 Que bien loin d'en souffrir * le spectacle avec peine,
Je verrai d'un esprit tranquille et satisfait
De son zèle * obstiné le déplorable * effet *,
Et remourir ce traître après sa sépulture,
Sinon en sa personne, au moins en sa figure *.

---

1. Allusion possible aux sentences, considérées comme des ornements de la tragédie.
2. Les preuves éclatantes d'exemplarité que donnent les héros, de gloire que donnent les rois, et de maîtrise des passions (« affection » peut désigner aussi l'ardeur du comédien à réciter).
3. Allusion probable à la reconstruction luxueuse du théâtre du Marais après l'incendie de 1644.
4. Un de mes collègues, ministres de l'Empereur.

DIOCLÉTIAN

Pour le bien figurer *, Genest n'oubliera rien ; 475
Écoutons seulement, et trêve à l'entretien.

Une voix chante avec un luth. La pièce commence.

Scène 7

GENEST, *seul sur le théâtre élevé*, DIOCLÉTIAN, MAXIMIN, VALÉRIE, CAMILLE, PLANCIEN, GARDES *assis*, SUITE DE SOLDATS

GENEST, *sous le nom d'*ADRIAN [1]

Ne délibère plus, Adrian, il est temps [2]
De suivre avec ardeur ces fameux combattants ;
Si la gloire te plaît, l'occasion est belle ;
La querelle * du Ciel à ce combat t'appelle ; 480
La torture, le fer et la flamme t'attend ;
Offre à leurs cruautés un cœur * ferme et constant ;
Laisse à de lâches cœurs verser d'indignes larmes,
Tendre aux tyrans les mains et mettre bas les armes ;
Toi, tends la gorge au fer, vois-en couler ton sang, 485
Et meurs sans t'ébranler, debout, et dans ton rang.
La faveur de César, qu'un peuple entier t'envie,
Ne peut durer au plus que le cours de sa vie ;
De celle de ton Dieu, non plus que de ses jours,
Jamais nul accident * ne bornera le cours. 490
Déjà de ce tyran la puissance irritée,
Si ton zèle * te dure, a ta perte arrêtée ;
Il serait, Adrian, honteux d'être vaincu ;
Si ton Dieu veut ta mort, c'est déjà trop vécu.
J'ai vu, Ciel, tu le sais, par le nombre des âmes 495
Que j'osai t'envoyer par des chemins de flammes,
Dessus les grils ardents et dedans les taureaux,
Chanter les condamnés et trembler les bourreaux ;

---

1. Jouant le rôle d'Adrian.
2. On reconnaît (vers 477-498) les vers répétés par Genest en II, 2, v. 335-348, et II, 4, v. 391-400. S'y reporter pour les notes.

J'ai vu tendre aux enfants une gorge assurée
500 À la sanglante mort qu'ils voyaient préparée,
Et tomber sous le coup d'un trépas glorieux *
Ces fruits à peine éclos, déjà mûrs pour les cieux.
J'en ai vu que le temps prescrit par la nature [1]
Était près de pousser dedans la sépulture,
505 Dessus les échafauds presser ce dernier pas,
Et d'un jeune courage affronter le trépas.
J'ai vu mille beautés en la fleur de leur âge,
À qui jusqu'aux tyrans chacun rendait hommage,
Voir avecque * plaisir, meurtris et déchirés,
510 Leurs membres précieux *, de tant d'yeux adorés.
Vous l'avez vu, mes yeux, et vous craindriez sans honte
Ce que tout sexe brave et que tout âge affronte !
Cette vigueur, peut-être, est un effort humain ?
Non, non, cette vertu *, Seigneur, vient de ta main,
515 L'âme la puise au lieu de sa propre origine,
Et, comme les effets, la source en est divine.
C'est du Ciel que me vient cette noble vigueur
Qui me fait des tourments * mépriser la rigueur,
Qui me fait défier les puissances humaines,
520 Et qui fait que mon sang se déplaît dans mes veines,
Qu'il brûle d'arroser cet arbre précieux
Où pend pour nous le fruit le plus chéri des cieux [2].
J'ai peine à concevoir ce changement extrême,
Et sens que, différent et plus fort que moi-même,
525 J'ignore toute crainte et puis voir sans terreur
La face de la mort en sa plus noire horreur.
Un seul bien que je perds, la seule Natalie,
Qu'à mon sort un saint joug [3] heureusement allie,
Et qui de ce saint zèle * ignore le secret,
530 Parmi tant de ferveur mêle quelque regret.
Mais que j'ai peu de cœur * si ce penser me touche !
Si proche de la mort, j'ai l'amour en la bouche !

---

1. La vieillesse.
2. La croix (« arbre précieux ») du Christ (« le fruit le plus chéri »), arbre de vie éternelle, arrosée de son sang précieux (cf. v. 510) pour la Rédemption des hommes (« pour nous »).
3. Cf. v. 26.

Scène 8

FLAVIE, *tribun représenté par* SERGESTE, *comédien*,
ADRIAN, DEUX GARDES

FLAVIE

Je crois, cher Adrian, que vous n'ignorez pas
Quel important sujet adresse * ici mes pas ;
Toute la cour en trouble attend d'être éclaircie 535
D'un bruit dont au palais votre estime [1] est noircie,
Et que vous confirmez par votre éloignement ;
Chacun, selon son sens *, en croit diversement ;
Les uns, que pour railler cette erreur s'est semée,
D'autres, que quelque sort a votre âme charmée *, 540
D'autres, que le venin de ces lieux infectés [2]
Contre votre raison a vos sens révoltés ;
Mais surtout de César la croyance incertaine
Ne peut où s'arrêter [3], ni s'asseoir qu'avec peine.

ADRIAN

À qui dois-je le bien de m'avoir dénoncé ? 545

FLAVIE

Nous étions au palais, où César empressé
De [4] grand nombre des siens, qui lui vantaient leur zèle *
À mourir pour les dieux ou venger leur querelle * :
« Adrian, a-t-il dit, d'un visage remis,
Adrian leur suffit contre tant d'ennemis : 550
Seul contre ces mutins il soutiendra leur cause ;
Sur son unique soin * mon esprit se repose ;
Voyant le peu d'effet que la rigueur produit,
Laissons éprouver l'art, où la force est sans fruit [5] ;
Leur obstination s'irrite par les peines * ; 555
Il est plus de captifs que de fers et de chaînes ;
Les cachots trop étroits ne les contiennent pas ;

1. Cf. v. 386.
2. La fréquentation délétère des chrétiens. Adrian se mêlait à leurs réunions pour mieux les tourner ensuite en dérision.
3. Ne trouve d'endroit où se fixer.
4. Pressé, entouré par.
5. Essayons l'adresse, puisque la force est inutile.

Les haches et les croix [1] sont lasses de trépas ;
La mort, pour la trop voir [2], ne leur est plus sauvage ;
560 Pour trop agir contre eux, le feu perd son usage * ;
En ces horreurs enfin, le cœur * manque aux bourreaux,
Aux juges la constance, aux mourants les travaux * ;
La douceur est souvent une invincible amorce *
À ces cœurs obstinés, qu'on aigrit par la force. »
565 Titian, à ces mots, dans la salle rendu,
« Ah ! s'est-il écrié, César, tout est perdu ! »
La frayeur à ce cri par nos veines s'étale,
Un murmure confus se répand dans la salle.
« Qu'est-ce ? a dit l'Empereur, interdit et troublé.
570 Le ciel s'est-il ouvert ? le monde a-t-il tremblé ?
Quelque foudre * lancé menace-t-il ma tête ?
Rome d'un étranger est-elle la conquête ?
Ou quelque embrasement consomme *-t-il ces lieux ? »
« Adrian, a-t-il dit, pour Christ renonce aux dieux. »

ADRIAN

575 Oui sans doute, et de plus à César, à moi-même,
Et soumets tout, Seigneur, à ton pouvoir suprême.

FLAVIE

Maximin à ce mot, furieux *, l'œil ardent,
Signes avant-coureurs d'un funeste accident *,
Pâlit, frappe du pied, frémit, déteste *, tonne,
580 Comme désespéré, ne connaît * plus personne,
Et nous fait voir au vif [3] le geste et la couleur
D'un homme transporté d'amour et de douleur.
Et j'entends Adrian vanter encor son crime ?
De César, de son maître, il paie ainsi l'estime,
585 Et reconnaît si mal qui lui veut tant de bien !

ADRIAN

Qu'il cesse de m'aimer, ou qu'il m'aime chrétien.

---

1. Deux supplices infligés aux chrétiens : décapitation et crucifixion.
2. À force de la voir.
3. D'une manière plus vraie que nature, comme le peintre peint au vif une passion.

FLAVIE

Les dieux, dont comme nous les monarques dépendent,
Ne le permettent pas, et les lois le défendent.

ADRIAN

C'est le Dieu que je sers qui fait régner les rois,
Et qui fait que la terre en révère les lois. 590

FLAVIE

Sa mort sur un gibet [1] marque son impuissance.

ADRIAN

Dites mieux, son amour et son obéissance [2].

FLAVIE

Sur une croix, enfin…

ADRIAN

Sur un bois glorieux *,
Qui fut moins une croix qu'une échelle des cieux [3].

FLAVIE

Mais ce genre de mort ne pouvait être pire. 595

ADRIAN

Mais mourant, de la mort il détruisit l'empire [4].

FLAVIE

L'auteur de l'univers entrer dans un cercueil !

ADRIAN

Tout l'univers aussi s'en vit tendu de deuil ;
Et le ciel effrayé cacha ses luminaires * [5].

---

1. Se dit au figuré de la croix.
2. Son amour pour les hommes, qu'il rachète, et son obéissance à son Père : « Non ce que je veux, mais ce que tu veux » (Mt, 26, 39).
3. Allusion à l'échelle que Jacob vit en songe (Gn, 28, 12) et à l'échelle des mystiques, présentant autant de degrés pour monter à Dieu.
4. Par sa mort et sa résurrection donnant aux hommes la vie éternelle, le Christ a triomphé de la mort qui régnait sur le monde depuis le péché originel (Rm, 5, 12 – 6, 11 ; 1 Cor 15,26).
5. Au moment de la mort du Christ, les ténèbres se firent sur la terre pendant trois heures (Mt, 27, 45).

FLAVIE

600 Si vous vous repaissez de ces vaines chimères *,
Ce mépris de nos dieux et de votre devoir
En l'esprit de César détruira votre espoir [1].

ADRIAN

César m'abandonnant, Christ est mon assurance ;
C'est l'espoir des mortels dépouillés d'espérance.

FLAVIE

605 Il vous peut même ôter vos biens si précieux.

ADRIAN

J'en serai plus léger pour monter dans les cieux.

FLAVIE

L'indigence est à l'homme un monstre redoutable.

ADRIAN

Christ, qui fut homme et Dieu [2], naquit dans une étable [3] ;
Je méprise vos biens et leur fausse douceur,
610 Dont on est possédé plutôt que possesseur.

FLAVIE

Sa piété [4] l'oblige, autant que sa justice,
À faire des chrétiens un égal * sacrifice.

ADRIAN

Qu'il fasse, il tarde trop.

FLAVIE

Que votre repentir…

ADRIAN

Non, non, mon sang, Flavie, est tout prêt à sortir.

---

1. Le crédit auquel vous pouvez prétendre.
2. Selon le dogme de la consubstantialité du Père et du Fils défini au concile de Nicée (325), le Christ est à la fois vrai Dieu et vrai homme.
3. Selon le récit évangélique de la Nativité (Lc, 2, 7).
4. Envers les dieux païens.

FLAVIE

Si vous vous obstinez, votre perte est certaine. 615

ADRIAN

L'attente m'en est douce, et la menace vaine.

FLAVIE

Quoi ! vous n'ouvrirez point l'oreille à mes avis ?
Aux soupirs de la cour, aux vœux de vos amis ?
À l'amour de César, aux cris de Natalie,
À qui si récemment un si beau nœud [1] vous lie ? 620
Et vous voudriez souffrir * que dans cet accident *
Ce soleil de beauté [2] trouvât son occident [3] ?
À peine, depuis l'heure à ce nœud destinée,
A-t-elle vu flamber les torches d'hyménée * [4] ;
Encore si quelque fruit de vos chastes amours 625
Devait après la mort perpétuer vos jours !
Mais vous voulez mourir avecque * la disgrâce
D'éteindre votre nom avecque * votre race,
Et suivant la fureur * d'un aveugle transport,
Nous être tout ravi par une seule mort ! 630
Si votre bon génie attend l'heure opportune,
Savez-vous les emplois dont vous courez fortune [5] ?
L'espoir vous manque-t-il ? et n'osez-vous songer
Qu'avant qu'être empereur Maximin fut berger ?
Pour peu que sa faveur vous puisse être constante, 635
Quel défaut vous défend une pareille attente [6] ?
Quel mépris obstiné des hommes et des dieux
Vous rend indifférents et la terre et les cieux ?
Et comme si la mort vous était souhaitable,
Fait que pour l'obtenir vous vous rendez coupable, 640
Et vous faites César et les dieux ennemis ?
Pesez-en le succès * d'un esprit plus remis ;

---

1. Union matrimoniale.
2. Natalie.
3. Sa mort ; comme le soleil se couche à l'Ouest.
4. Les flambeaux sont l'attribut traditionnel du dieu Hymen, conduisant le cortège nuptial (cf. v. 14).
5. Qui peuvent vous échoir.
6. Quelle faille dans ce raisonnement vous interdit d'espérer une ascension semblable ?

Celui n'a point péché, de qui la repentance
Témoigne la surprise et suit de près l'offense [1].

ADRIAN

645 La grâce * dont le Ciel a touché mes esprits
M'a bien persuadé, mais ne m'a point surpris ;
Et me laissant toucher à cette repentance [2],
Bien loin de réparer, je commettrais l'offense.
Allez, ni Maximin, courtois ou furieux *,
650 Ni ce foudre * qu'on peint en la main de vos dieux,
Ni la cour ni le trône, avecque * tous leurs charmes *,
Ni Natalie enfin avec toutes ses larmes,
Ni l'univers rentrant dans son premier * chaos [3],
Ne divertiraient * pas un si ferme propos.

FLAVIE

655 Pesez bien les effets * qui suivront mes paroles.

ADRIAN

Ils seront sans vertu *, comme elles sont frivoles.

FLAVIE

Si raison ni douceur ne vous peut émouvoir [4],
Mon ordre [5] va plus loin.

ADRIAN

Faites votre devoir.

FLAVIE

C'est de vous arrêter, et vous charger de chaînes,
660 Si, comme je vous dis, l'une et l'autre [6] sont vaines.

---

1. On ne commet pas de faute quand on montre qu'on a agi malgré soi et qu'on se repent rapidement.
2. En me laissant fléchir par le repentir que vous me proposez.
3. Le chaos renvoie à l'état originel de l'univers, avant la création des dieux et des hommes selon la mythologie antique (Ovide, *Métamorphoses*, I, 7), avant la Création du monde par Dieu selon la Bible (Gn, 1, 2).
4. Accord au singulier (latinisme).
5. L'ordre que j'ai reçu de Maximin.
6. Raison et douceur.

ADRIAN, *présentant ses bras aux fers que les gardes lui attachent.*

Faites ; je recevrai ces fardeaux précieux *
Pour [1] les premiers présents qui me viennent des cieux,
Pour de riches faveurs et de superbes marques
Du César des Césars, et du Roi des monarques ;
Et j'irai sans contrainte où d'un illustre effort 665
Les soldats de Jésus [2] triomphent de la mort.

Ils sortent tous.

Scène 9

DIOCLÉTIAN, MAXIMIN [,VALÉRIE]

DIOCLÉTIAN

En cet acte, Genest, à mon gré *, se surpasse.

MAXIMIN

Il ne se peut rien feindre avecque * plus de grâce *.

VALÉRIE, *se levant.*

L'intermède permet de l'en féliciter,
Et de voir les acteurs. 670

DIOCLÉTIAN

Il se faut donc hâter.

---

1. Comme.
2. L'image du « soldat de Jésus », *miles Christi*, remonte à saint Paul : le chrétien doit s'armer pour affronter le combat spirituel (Ép, 6, 14-17).

ACTE III

Scène première

DIOCLÉTIAN, MAXIMIN, VALÉRIE,
CAMILLE, PLANCIEN, SUITE DE GARDES ET DE SOLDATS

VALÉRIE, *descendant du théâtre* [1].

Quel trouble ! quel désordre ! et comment sans miracle
Nous peuvent-ils produire aucun [2] plaisant spectacle ?

CAMILLE

Certes à voir entre eux cette confusion,
L'ordre de leur récit * semble une illusion [3].

MAXIMIN

675 L'art en est merveilleux, il faut que je l'avoue ;
Mais l'acteur qui paraît est celui qui me joue,
Et qu'avecque * Genest j'ai vu se concerter.
Voyons de quelle grâce * il s'aura m'imiter.

1. Du théâtre élevé où elle a été parler aux acteurs.
2. Un quelconque.
3. À voir la confusion qui règne dans les coulisses, on a peine à croire que les acteurs soient si disciplinés sur scène.

Scène 2

MAXIMIN, *représenté par* OCTAVE, *comédien*,
ADRIAN, *chargé de fers*, FLAVIE,
SUITE DE GARDES ET DE SOLDATS

MAXIMIN, *acteur.*

Sont-ce là les faveurs, traître, sont-ce les gages *
De ce maître nouveau [1] qui reçoit tes hommages, 680
Et qu'au mépris des droits et du culte des dieux
L'impiété chrétienne ose placer aux cieux ?

ADRIAN

La nouveauté, Seigneur, de ce maître des maîtres
Est devant * tous les temps, et devant tous les êtres ;
C'est lui qui du néant a tiré l'univers, 685
Lui qui dessus la terre a répandu les mers,
Qui de l'air étendit les humides contrées,
Qui sema de brillants * les voûtes azurées,
Qui fit naître la guerre entre les éléments
Et qui régla des cieux les divers mouvements. 690
La terre à son pouvoir rend un muet hommage,
Les rois sont ses sujets, le monde est son partage ;
Si l'onde est agitée, il la peut affermir * ;
S'il querelle * les vents, ils n'osent plus frémir ;
S'il commande au soleil, il arrête sa course ; 695
Il est maître de tout, comme il en est la source ;
Tout subsiste par lui, sans lui rien n'eût été ;
De ce maître, Seigneur, voilà la nouveauté.
Voyez si sans raison il reçoit mes hommages,
Et si sans vanité j'en puis porter les gages *. 700
Oui, ces chaînes, César, ces fardeaux glorieux *
Sont aux bras d'un chrétien des présents précieux * ;
Devant * nous, ce cher maître en eut les mains chargées,
Au feu de son amour il nous les a forgées ;
Loin de nous accabler, leur faix * est notre appui, 705
Et c'est par ces chaînons qu'il nous attire à lui.

---

1. Le Christ.

MAXIMIN, *acteur.*

Dieux ! à qui pourrons-nous nous confier sans crainte,
Et de qui nous promettre une amitié sans feinte ?
De ceux que la fortune attache à nos côtés ?
710 De ceux que nous avons moins acquis qu'achetés ?
Qui sous des fronts * soumis cachent des cœurs rebelles ?
Que par trop de crédit nous rendons infidèles ?
Ô dure cruauté du destin de la cour,
De ne pouvoir souffrir * d'inviolable amour !
715 De franchise sans fard, de vertu qu'offusquée,
De devoir que contraint, ni de foi * que masquée !
Qu'entreprends-je, chétif *, en ces lieux écartés [1],
Où lieutenant des dieux justement irrités,
Je fais d'un bras vengeur éclater les tempêtes,
720 Et poursuis des chrétiens les sacrilèges têtes !
Si, tandis que j'en prends un inutile soin *,
Je vois naître chez moi ce que je suis * si loin ;
Ce que j'extirpe ici dans ma cour prend racine,
J'élève auprès de moi ce qu'ailleurs j'extermine.
725 Ainsi notre fortune, avec tout son éclat,
Ne peut, quoi qu'elle fasse, acheter un ingrat.

ADRIAN

Pour croire un Dieu [2], Seigneur, la liberté de croire
Est-elle en votre estime une action si noire,
Si digne de l'excès où vous vous emportez,
730 Et se peut-il souffrir de moindres libertés [3] ?
Si jusques à ce jour vous avez cru ma vie
Inaccessible même aux assauts de l'envie,
Et si les plus censeurs [4] ne me reprochent rien,
Qui m'a fait si coupable en me faisant chrétien ?
735 Christ réprouve la fraude, ordonne la franchise,
Condamne la richesse injustement acquise,
D'un illicite amour défend l'acte [indécent],

1. Maximin étendit la persécution en Orient.
2. Chez qui croit en un Dieu.
3. N'est-ce pas la moindre des libertés ?
4. Emploi exceptionnel de « censeur » comme adjectif.

Et de tremper ses mains dans le sang innocent [1] ;
Trouvez-vous en ces lois aucune ombre de crime,
Rien de honteux aux siens, et rien d'illégitime ? 740
J'ai contre eux éprouvé tout ce qu'eût pu l'enfer [2],
J'ai vu couler leur sang sous des ongles de fer ;
J'ai vu bouillir leurs corps dans la poix et les flammes,
J'ai vu leur chair tomber sous de flambantes lames,
Et n'ai rien obtenu de ces cœurs glorieux * 745
Que de les avoir vus pousser des chants aux cieux,
Prier pour leurs bourreaux au fort de leur martyre [3],
Pour vos prospérités, et pour l'heur * de l'Empire.

MAXIMIN, *acteur.*

Insolent, est-ce à toi de te choisir des dieux ?
Les miens, ceux de l'Empire et ceux de tes aïeux, 750
Ont-ils trop faiblement établi leur puissance
Pour t'arrêter au joug de leur obéissance [4] ?

ADRIAN

Je cherche le salut, qu'on ne peut espérer
De ces dieux de métal [5] qu'on vous voit adorer.

MAXIMIN, *acteur.*

Le tien, si cette humeur s'obstine à me déplaire, 755
Te garantira * mal des traits * de ma colère
Que tes impiétés attireront sur toi.

ADRIAN

J'en parerai les coups du bouclier [6] de la foi [7].

---

1. Toutes ces interdictions (mensonge, vol, adultère, meurtre) font partie du décalogue (Dt, 5, 6-21). Elles sont reprises par le Christ (Mt, 5, 17-37).
2. J'ai essayé contre les chrétiens tous les supplices qu'eût pu essayer l'enfer.
3. Selon l'exemple (Lc, 23, 34), et la parole du Christ : « Priez pour ceux qui vous persécutent » (Mt, 5, 44).
4. Pour te maintenir dans leur obéissance.
5. Allusion aux statues païennes, tel le veau d'or (Ex, 32, 4), qui symbolisent l'idolâtrie.
6. Synérèse.
7. Nouvelle allusion au soldat de saint Paul (cf. v. 666) : « Ayez toujours en main le bouclier de la Foi » (Éph, 6, 16).

MAXIMIN, *acteur.*

Crains de voir, et bientôt, ma faveur négligée
760 Et l'injure des dieux [1] cruellement vengée ;
De ceux que par ton ordre on a vus déchirés,
Que le fer a meurtris et le feu dévorés,
Si tu ne divertis * la peine * où [2] tu t'exposes,
Les plus cruels tourments * n'auront été que roses.

ADRIAN

765 Nos corps étant péris, nous espérons qu'ailleurs
Le Dieu que nous servons nous les rendra meilleurs [3].

MAXIMIN, *acteur.*

Traître, jamais sommeil n'enchantera [4] mes peines
Que ton perfide sang, épuisé de tes veines,
Et ton cœur sacrilège, aux corbeaux exposé [5],
770 N'ait rendu de nos dieux le courroux apaisé.

ADRIAN

La mort dont je mourrai sera digne d'envie,
Quand je perdrai le jour * pour l'Auteur de la vie.

MAXIMIN, *acteur.*

Allez, dans un cachot accablez-le de fers,
Rassemblez tous les maux * que sa secte a soufferts,
775 Et faites à l'envi contre cet infidèle…

ADRIAN

Dites ce converti.

MAXIMIN, *acteur.*

Paraître votre zèle * ;
Imaginez, forgez [6] ; le plus industrieux *
À le faire souffrir sera le plus pieux ;

---

1. L'injure que tu fais aux dieux.
2. À laquelle.
3. Selon le dogme de la résurrection de la chair, les âmes seront revêtues d'un corps glorieux, incorruptible.
4. Je ne dormirai pas avant de t'avoir châtié.
5. Les condamnés au gibet étaient laissés en pâture aux corbeaux.
6. Inventez (des instruments de torture).

J'emploierai ma justice où ma faveur est vaine ;
Et qui fuit ma faveur éprouvera ma haine. 780

ADRIAN, *s'en allant.*

Comme je te soutiens, Seigneur, sois mon soutien :
Qui commence à souffrir commence d'être tien.

Flavie emmène Adrian avec des gardes.

Scène 3

MAXIMIN, *acteur*, GARDES

MAXIMIN, *acteur.*

Dieux ! Vous avez un foudre * et cette félonie
Ne le peut allumer, et demeure impunie !
Vous conservez la vie et laissez la clarté * 785
À qui vous veut ravir votre immortalité !
À qui contre le Ciel soulève un peu de terre [1],
À qui veut de vos mains arracher le tonnerre [2],
À qui vous entreprend et vous veut détrôner
Pour un Dieu qu'il se forge et qu'il veut couronner. 790
Inspirez-moi, grands Dieux ! inspirez-moi des peines
Dignes de mon courroux et dignes de vos haines,
Puisque à des attentats * de cette qualité,
Un supplice commun est une impunité.

Scène 4

FLAVIE, *ramenant Adrian à la prison*,
ADRIAN, LE GEÔLIER, GARDES

FLAVIE, *au geôlier.*

L'ordre exprès de César le commet * en ta garde. 795

LE GEÔLIER

Le vôtre me suffit, et ce soin * me regarde.

---

1. Adrian, un simple mortel, fait de terre comme Adam, se révolte contre les dieux. En outre, référence possible aux Géants qui, révoltés contre Zeus-Jupiter, élevèrent des montagnes pour escalader l'Olympe.
2. Référence au tonnerre que Jupiter tient dans sa main dans l'iconographie antique.

Scène 5

NATALIE, FLAVIE, ADRIAN,
LE GEÔLIER, GARDES

NATALIE

Ô nouvelle trop vraie ! est-ce là mon époux ?

FLAVIE

Notre dernier espoir ne consiste qu'en vous ;
Rendez-le-nous à vous, à César, à lui-même.

NATALIE

800 Si l'effet * n'en dépend que d'un désir extrême…

FLAVIE

Je vais faire espérer cet heureux changement ;
Voyez-le.

Flavie s'en va avec les gardes, et le geôlier se retire.

ADRIAN

Tais-toi, femme, et m'écoute un moment.
Par l'usage des gens * et par les lois romaines,
La demeure, les biens, les délices, les peines,
805 Tout espoir, tout profit, tout humain intérêt,
Doivent être communs à qui la couche l'est ;
Mais que comme la vie et comme la fortune,
Leur créance * toujours leur doive être commune,
D'étendre jusqu'aux dieux cette communauté,
810 Aucun droit n'établit cette nécessité.
Supposons toutefois que la loi le désire,
Il semble que l'époux, comme ayant plus d'empire,
Ait le droit le plus juste ou le plus spécieux *
De prescrire chez soi le culte de ses dieux.
815 Ce que tu vois enfin, ce corps chargé de chaînes,
N'est l'effet * ni des lois ni des raisons humaines,
Mais de quoi [1] des chrétiens j'ai reconnu le Dieu,
Et dit à vos autels un éternel adieu.

1. Mais [la conséquence] du fait que.

!

explique tout

Je l'ai dit, je le dis, et trop tard pour ma gloire,
Puisque enfin je n'ai cru qu'étant forcé de croire ; 820
Qu'après les avoir vus, d'un visage serein,
Pousser des chants aux cieux dans des taureaux d'airain [1],
D'un souffle, d'un regard jeter vos dieux par terre,
Et l'argile et le bois s'en briser comme verre,
Je les ai combattus, ces effets * m'ont vaincu ; 825
J'ai reconnu par eux l'erreur où j'ai vécu ;
J'ai vu la vérité, je la suis, je l'embrasse ;
Et si César prétend par force, par menace,
Par offres, par conseil, ou par allèchements *,
Et toi ni par soupirs ni par embrassements [2], 830
Ébranler une foi si ferme et si constante,
Tous deux vous vous flattez d'une inutile attente.
Reprends sur ta franchise * un empire absolu,
Que le nœud qui nous joint demeure résolu * ;
Veuve dès à présent, par ma mort prononcée, 835
Sur un plus digne objet adresse * ta pensée ;
Ta jeunesse, tes biens, ta vertu, ta beauté,
Te feront mieux trouver que ce qui t'est ôté.
Adieu. Pourquoi, cruelle à de si belles choses,
Noyes-tu [3] de tes pleurs ces œillets et ces roses [4] ? 840
Bientôt, bientôt le sort, qui t'ôte ton époux,
Te fera respirer sous un hymen * plus doux.
Que fais-tu ? tu me suis ! quoi, tu m'aimes encore ?
Oh ! si de mon désir l'effet * pouvait éclore,
Ma sœur, c'est le seul nom dont je te puis nommer, 845
Que sous de douces lois nous nous pourrions aimer !

L'embrassant.

Tu saurais que la mort par qui l'âme est ravie
Est la fin de la mort plutôt que de la vie !
Qu'il n'est amour ni vie en ce terrestre lieu,
Et qu'on ne peut s'aimer ni vivre qu'avec Dieu. 850

---

1. Cf. v. 394.
2. Et toi *et* par soupirs *et* par embrassements (*ni* sans valeur négative).
3. Noies-tu. L'*e* n'est pas muet ; « noyes » est donc dissyllabique (diérèse).
4. Expression précieuse pour : « la beauté de ton visage ». Peut renvoyer aux yeux (« œillets ») et aux pommettes (« roses »).

NATALIE, *l'embrassant.*

Oh, d'un Dieu tout-puissant merveilles souveraines !
Laisse-moi, cher époux, prendre part en tes chaînes !
Et si ni notre hymen * ni ma chaste amitié
Ne m'ont assez acquis le nom de ta moitié,
855 Permets que l'alliance enfin s'en accomplisse,
Et que Christ, de ces fers, aujourd'hui nous unisse.
Crois qu'ils seront pour moi d'indissolubles nœuds
Dont l'étreinte en toi seul saura borner mes vœux *.

ADRIAN

Ô Ciel ! Ô Natalie ! ah ! [douce et] sainte flamme *,
860 Je rallume mes feux *, et reconnais ma femme.
Puisque au chemin du Ciel tu veux suivre mes pas,
Sois mienne, chère épouse, au-delà du trépas.
Que mes vœux, que ta foi… Mais tire-moi de peine.
Ne me flatté-je point d'une créance * vaine * ?
865 D'où te vient le beau feu * qui t'échauffe le sein ?
Et quand as-tu conçu ce généreux * dessein ?
Par quel heureux motif ?

NATALIE

Je te vais satisfaire.
Il me fut inspiré presque aux flancs de ma mère,
Et presque en même instant le Ciel versa sur moi
870 La lumière du jour et celle de la foi [1].
Il fit qu'avec le lait, pendante à la mamelle,
Je suçai des chrétiens la créance * et le zèle * ;
Et ce zèle * avec moi crût jusqu'à l'heureux jour
Que mes yeux, sans dessein, m'acquirent ton amour.
875 Tu sais, s'il t'en souvient, de quelle résistance
Ma mère en cette amour * combattit ta constance ;
Non qu'un si cher parti ne nous fût glorieux,
Mais pour sa répugnance au culte de tes dieux ;
De César toutefois la suprême puissance
880 Obtint ce triste aveu de son obéissance ;
Ses larmes seulement marquèrent ses douleurs ;
Car qu'est-ce qu'une esclave a de plus que des pleurs ?
Enfin le jour venu que je te fus donnée :

1. Natalie a été baptisée dès sa naissance.

« Va, me dit-elle à part, va, fille infortunée,
Puisqu'il plaît à César, mais sur tout souviens-toi — 885
D'être fidèle au Dieu dont nous suivons la loi,
De n'adresser qu'à lui tes vœux ni [1] tes prières,
De renoncer au jour plutôt qu'à ses lumières,
Et détester * autant les dieux de ton époux
Que ses chastes baisers te doivent être doux. » — 890
Au défaut [2] de ma voix mes pleurs lui répondirent.
Tes gens dedans ton char aussitôt me rendirent *,
Mais l'esprit si rempli de cette impression
Qu'à peine eus-je des yeux pour voir ta passion,
Et qu'il fallut du temps pour ranger ma franchise * — 895
Au point où ton mérite à la fin l'a soumise.
L'œil qui voit dans les cœurs * [3] clair comme dans les cieux
Sait quelle aversion j'ai depuis pour tes dieux ;
Et depuis notre hymen * jamais le culte impie,
Si tu l'as observé, ne m'a coûté d'hostie * ; — 900
Jamais sur leurs autels mes encens n'ont fumé ;
Et lorsque je t'ai vu, de fureur * enflammé,
Y faire tant offrir d'innocentes victimes,
J'ai souhaité cent fois de mourir pour tes crimes,
Et cent fois vers le Ciel, témoin de mes douleurs, — 905
Poussé pour toi des vœux * accompagnés de pleurs.

ADRIAN

Enfin je reconnais, ma chère Natalie,
Que je dois mon salut au saint nœud qui nous lie ;
Permets-moi toutefois de me plaindre à mon tour :
Me voyant te chérir d'une si tendre amour *, — 910
Y pouvais-tu répondre, et me tenir cachée
Cette céleste ardeur dont Dieu t'avait touchée ?
Peux-tu, sans t'émouvoir, avoir vu ton époux
Contre tant d'innocents exercer son courroux ?

NATALIE

Sans m'émouvoir, hélas ! le Ciel sait si tes armes — 915
Versaient jamais de sang, sans me tirer des larmes ;

---

1. *Et* tes prières (*ni* sans valeur négative).
2. À défaut de.
3. L'œil de Dieu, qui sonde les reins et les cœurs (Jr, 17, 10).

Je m'en émus assez ; mais eussé-je espéré
De réprimer la soif d'un lion altéré ?
De contenir un fleuve inondant une terre,
920 Et d'arrêter dans l'air la chute d'un tonnerre ?
J'ai failli toutefois, j'ai dû parer tes coups,
Ma crainte fut coupable, autant que ton courroux ;
Partageons donc la peine, aussi bien que les crimes,
Si ces fers te sont dus, ils me sont légitimes,
925 Tous deux dignes de mort, et tous deux résolus,
Puisque nous voici joints, ne nous séparons plus ;
Qu'aucun temps, qu'aucun lieu jamais ne nous divisent :
Un supplice, un cachot, un juge, nous suffisent.

ADRIAN

Par un ordre céleste, aux mortels inconnu,
930 Chacun part de ce lieu quand son temps est venu ;
Suis cet ordre sacré, que rien ne doit confondre ;
Lorsque Dieu nous appelle, il est temps de répondre ;
Ne pouvant avoir part en ce combat fameux
Si mon cœur * au besoin ne répond à mes vœux * [1],
935 Mérite, en m'animant, ta part de la couronne
Qu'en l'Empire éternel le martyre nous donne ;
Au défaut du premier, obtiens le second rang,
Acquiers par tes souhaits ce qu'on nie à ton sang,
Et dedans le péril m'assiste en cette guerre.

NATALIE

940 Bien donc, choisis le ciel, et me laisse la terre.
Pour aider ta constance en ce pas périlleux,
Je te suivrai partout et jusque dans les feux ;
Heureuse, si la loi qui m'ordonne de vivre
Jusques au ciel enfin me permet de te suivre.
945 Et si de ton tyran le funeste courroux
Passe jusqu'à l'épouse, ayant meurtri l'époux [2].
Tes gens me rendront bien ce favorable office *
De garder * qu'à mes soins César ne te ravisse

---

1. Si mon courage n'est pas à la hauteur de mes souhaits au moment nécessaire.
2. L'époux et l'épouse sont des images consacrées du Christ et de l'Église ; ils sont successivement persécutés, comme le seront Adrian et Natalie.

Sans en apprendre l'heure et m'en donner avis,
Et bientôt de mes pas les tiens seront suivis ; 950
Bientôt…

ADRIAN

Épargne-leur cette inutile peine ;
Laisse-m'en le souci, leur veille serait vaine.
Je ne partirai point de ce funeste lieu
Sans ton dernier baiser et ton dernier adieu ;
Laisses-en sur mon soin reposer ton attente. 955

Scène 6

FLAVIE, GARDES,
ADRIAN, NATALIE

FLAVIE

Aux desseins importants, qui craint impatiente [1] ;
Eh bien, qu'obtiendrons-nous ? vos soins * officieux *
À votre époux aveugle ont-ils ouvert les yeux ?

NATALIE

Nul intérêt humain, nul respect ne le touche ;
Quand j'ai voulu parler, il m'a fermé la bouche, 960
Et détestant * les dieux, par un long entretien,
A voulu m'engager dans le culte du sien.
Enfin, ne tentez plus un dessein impossible,
Et gardez que *, heurtant ce cœur inaccessible,
Vous ne vous y blessiez, pensant le secourir, 965
Et ne gagniez le mal que vous voulez guérir ;
Ne veuillez point son bien à votre préjudice ;
Souffrez, souffrez * plutôt que l'obstiné périsse ;
Rapportez à César notre inutile effort ;
Et si la loi des dieux fait conclure à sa mort, 970
Que l'effet * prompt et court en suive la menace,
J'implore seulement cette dernière grâce * ;
Si de plus doux succès * n'ont suivi mon espoir,
J'ai l'avantage au moins d'avoir fait mon devoir.

1. Dans les décisions graves, on supporte mal l'hésitation d'autrui.

FLAVIE

975 Ô vertu * sans égale, et sur toutes insigne !
Ô d'une digne épouse époux sans doute indigne !
Avec quelle pitié le peut-on secourir,
Si, sans pitié de soi, lui-même il veut périr ?

NATALIE

Allez ; n'espérez pas que ni force ni crainte
980 Puissent rien où mes pleurs n'ont fait aucune atteinte ;
Je connais trop son cœur, j'en sais la fermeté,
Incapable de crainte et de légèreté ;
À regret contre lui je rends ce témoignage,
Mais l'intérêt du Ciel à ce devoir m'engage.
985 Encore un coup *, cruel, au nom de notre amour
Au nom saint et sacré de la céleste cour [1]
Reçois de ton épouse un conseil salutaire,
Déteste * ton erreur, rends-toi le Ciel prospère * ;
Songe et propose-toi * que tes travaux * présents,
990 Comparés aux futurs, sont doux ou peu cuisants !
Vois combien cette mort importe à ton estime !
D'où tu sors, où tu vas, et quel objet t'anime !

ADRIAN

Mais toi, contiens ton zèle *, il m'est assez connu,
Et songe que ton temps n'est pas encor venu ;
995 Que je te vais attendre à ce port * désirable.
Allons, exécutez le décret favorable
Dont j'attends mon salut, plutôt que le trépas.

FLAVIE, *le livrant au geôlier et s'en allant.*

Vous en êtes coupable, en ne l'évitant pas.

Scène 7

NATALIE, *seule.*

J'ose à présent, ô Ciel, d'une vue assurée [2]
1000 Contempler les brillants * de ta voûte azurée,

---

1. L'ensemble des dieux païens, par analogie avec le chœur des saints et des anges qui entourent Dieu au paradis.
2. On reconnaît (v. 999-1110) les vers répétés par Marcelle en II, 3 (v. 373-384). S'y reporter pour les notes.

Et nier ces faux dieux qui n'ont jamais foulé
De ce palais roulant le lambris étoilé.
À ton pouvoir, Seigneur, mon époux rend hommage ;
Il professe ta foi, ses fers t'en sont un gage * ;
Ce redoutable fleau * des dieux sur les chrétiens 1005
Ce lion altéré du sacré sang des tiens,
Qui de tant d'innocents crut la mort légitime,
De ministre qu'il fut, s'offre enfin pour victime ;
Et, patient agneau, tend à tes ennemis
Un col * à ton saint joug heureusement * soumis. 1010
Rompons, après sa mort, notre honteux silence ;
De ce lâche respect forçons la violence ;
Et disons aux tyrans, d'une constante voix,
Ce qu'à Dieu du penser * [1] nous avons dit cent fois.
Donnons air [2] au beau feu dont notre âme est pressée ; 1015
En cette illustre ardeur mille m'ont devancée ;
D'obstacles infinis mille ont su triompher,
Cécile des tranchants [3], Prisque des dents de fer [4],
Fauste [5] des plombs bouillants, Dipné [6] de sa noblesse,
Agathe [7] de son sexe, Agnès [8] de sa jeunesse, 1020

---

1. En pensée.
2. Attisons.
3. Sainte Cécile, patronne des musiciens, vierge martyrisée à Rome au IIIe siècle ; on lui trancha le cou.
4. Sainte Prisque (ou Prisca) : vierge martyrisée à Rome au IIIe siècle ; elle fut fouettée (les fouets étaient souvent munis de crochets de fer) avant d'être décapitée.
5. Sainte Fauste (ou Fausta) : vierge martyrisée à Rome en 303 ; on versait parfois du plomb fondu sur le corps des futurs martyrs pour les torturer.
6. Anachronisme : la tradition rapporte que sainte Dipné (ou Dympna ou Dymphna) vécut en Belgique au VIIe siècle ; elle était la fille d'un chef irlandais.
7. Sainte Agathe : vierge martyrisée à Catane en 250 ; elle refusa au nom de sa foi de se livrer à l'acte de chair avec le gouverneur à qui elle avait été donnée en épouse ; on la conduisit alors dans une maison de prostitution, mais elle sut conserver intacte sa virginité au prix de sa vie : on lui trancha les seins avant de la brûler.
8. Sainte Agnès : vierge martyrisée à Rome en 304, sous Dioclétien ; elle était âgée de treize ans.

Tècle[1] de son amant, et toutes du trépas ;
Et je répugnerais à marcher sur leurs pas !

Elle rentre [dans les coulisses].

Scène 8

GENEST, DIOCLÉTIAN, MAXIMIN
[,VALÉRIE, CAMILLE, PLANCIEN, GARDES]

GENEST

Seigneur, le bruit confus d'une foule importune
De gens qu'à votre suite attache la fortune,
1025 Par le trouble où nous met cette incommodité,
Altère les plaisirs de Votre Majesté,
Et nos acteurs, confus de ce désordre extrême…

DIOCLÉTIAN, *se levant, avec toute la cour.*

Il y faut donner ordre, et l'y porter nous-même.
De vos dames la jeune et courtoise beauté
1030 Vous attire toujours cette importunité.

---

1. Sainte Tècle (ou Thècle) : vierge d'Iconium morte à Séleucie au Ier siècle, après avoir échappé miraculeusement à plusieurs supplices ; elle avait renoncé au mariage après sa conversion au christianisme, à la suite d'une prédication de saint Paul dont elle fut très proche disciple.

ACTE IV

Scène première

DIOCLÉTIAN, MAXIMIN, VALÉRIE,
CAMILLE, PLANCIEN,
GARDES, *descendant du théâtre*

VALÉRIE, *à Dioclétian.*

Votre ordre a mis le calme, et dedans le silence
De ces irrévérents contiendra l'insolence.

DIOCLÉTIAN

Écoutons, car Genest dedans cette action
Passe aux derniers efforts de sa profession.

Scène 2

ADRIAN [*représenté par* GENEST],
FLAVIE [*représenté par* SERGESTE],
GARDES

FLAVIE

Si le Ciel, Adrian, ne t'est bientôt propice, 1035
D'un infaillible pas tu cours au précipice ;
J'avais vu, par l'espoir d'un proche repentir,
De César irrité le courroux s'alentir * ;
Mais quand il a connu nos prières, nos peines,
Les larmes de ta femme et son attente vaines, 1040
L'œil ardent de colère et le teint pâlissant :
« Amenez, a-t-il dit, d'un redoutable accent,
Amenez ce perfide en qui mes bons offices

Rencontrent aujourd'hui le plus lâche des vices,
1045 Et que l'ingrat apprenne à quelle extrémité
Peut aller la fureur d'un monarque irrité. »
Passant de ce discours s'il faut dire à la rage,
Il invente, il ordonne, il met tout en usage,
Et si le repentir de ton aveugle erreur
1050 N'en détourne l'effet * et n'éteint sa fureur *…

ADRIAN

Que tout l'effort, tout l'art, toute l'adresse humaine
S'unisse [1] pour ma perte et conspire à ma peine ;
Celui qui d'un seul mot créa chaque élément,
Leur donnant l'action, le poids, le mouvement,
1055 Et prêtant son concours à ce fameux ouvrage,
Se retint le pouvoir d'en suspendre l'usage ;
Le feu ne peut brûler, l'air ne saurait mouvoir,
Ni l'eau ne peut couler qu'au gré de son pouvoir ;
Le fer, solide sang des veines de la terre
1060 Et fatal instrument des fureurs de la guerre,
S'émousse s'il l'ordonne, et ne peut pénétrer
Où son pouvoir s'oppose et lui défend d'entrer.
Si César m'est cruel, il me sera prospère ;
C'est lui que je soutiens, c'est en lui que j'espère ;
1065 Par son soin tous les jours la rage des tyrans
Croit faire des vaincus et fait des conquérants.

FLAVIE

Souvent en ces ardeurs la mort qu'on se propose
Ne semble qu'un ébat, qu'un souffle, qu'une rose ;
Mais quand ce spectre affreux sous un front * inhumain,
1070 Les tenailles, les feux, les haches à la main,
Commence à nous paraître et faire ses approches,
Pour ne s'effrayer pas il faut être des roches ;
Et notre repentir, en cette occasion,
S'il n'est vain, pour le moins tourne à confusion [2].

---

1. Accord au singulier (latinisme).
2. La crainte de la mort, même si le martyr s'en repent, amoindrit la gloire et la valeur de son témoignage.

ADRIAN

J'ai contre les chrétiens servi longtemps vos haines, 1075
Et j'appris leur constance en ordonnant leurs peines.
Mais avant que César ait prononcé l'arrêt
Dont l'exécution me trouvera tout prêt,
Souffrez * que d'un adieu j'acquitte ma promesse
À la chère moitié que Dieu veut que je laisse, 1080
Et que pour dernier fruit de notre chaste amour,
Je prenne congé d'elle en le prenant du jour *.

FLAVIE

Allons, la piété * m'oblige à te complaire ;
Mais ce retardement aigrira sa colère.

ADRIAN

Le temps en sera court, devancez-moi d'un pas. 1085

FLAVIE [, *s'adressant aux gardes.*]

Marchons, le zèle * ardent qu'[il] porte [à son] trépas
Nous est de sa personne une assez sûre garde.

UN GARDE

Qui croit un prisonnier toutefois le hasarde *.

ADRIAN

Mon ardeur et ma foi me gardent sûrement ;
N'avancez rien qu'un pas, je ne veux qu'un moment. 1090

Ils s'en vont.

Scène 3

ADRIAN *seul, continue* :

Ma chère Natalie, avec quelle allégresse
Verras-tu ma visite acquitter ma promesse !
Combien de saints baisers, combien d'embrassements
Produiront de ton cœur les secrets mouvements !
Prends ma sensible * ardeur, prends conseil de ma flamme *, 1095
Marchons assurément * sur les pas d'une femme ;

Ce sexe qui ferma rouvrit depuis les cieux [1] ;
Les fruits de la vertu sont partout précieux * ;
Je ne puis souhaiter de guide plus fidèle ;
1100 J'approche de la porte, et l'on ouvre ; c'est elle.

Scène 4

NATALIE, ADRIAN

ADRIAN, *la voulant embrasser.*

Enfin, chère moitié…

NATALIE, *se retirant et lui fermant la porte.*

Comment, seul, et sans fers ?
Est-ce là ce martyr, ce vainqueur des enfers,
Dont l'illustre courage et la force infinie
De ses persécuteurs bravaient la tyrannie ?

ADRIAN

1105 Ce soupçon, ma chère âme !

NATALIE

Après ta lâcheté,
Va, ne me tiens plus, traître, en cette qualité ;
Du Dieu que tu trahis je partage l'injure ;
Moi l'âme d'un païen ! moi l'âme d'un parjure !
Moi l'âme d'un chrétien qui renonce à sa loi * !
1110 D'un homme enfin sans cœur *, et sans âme, et sans foi * !

ADRIAN

Daigne m'entendre un mot !

NATALIE

Je n'entends plus un lâche
Qui dès le premier pas chancelle et se relâche,

1. C'est à cause du péché d'Ève que les portes du paradis furent fermées aux hommes (Gn, 3, 1-24) ; c'est grâce à Marie, mère du Rédempteur, qu'elles leur furent rouvertes. Marie, « porte du ciel » (invocation des litanies) et nouvelle Ève, est alors dite « corédemptrice ».

Dont la seule menace ébranle la vertu *,
Qui met les armes bas sans avoir combattu,
Et qui s'étant fait croire une invincible roche, 1115
Au seul bruit de l'assaut se rend avant l'approche [1].
Va, perfide, aux tyrans à qui tu t'es rendu
Demander lâchement le prix qui t'en est dû ;
Que l'épargne * romaine en tes mains se desserre ;
Exclu des biens du ciel, songe à ceux de la terre ; 1120
Mais parmi ses honneurs et ses rangs superflus
Compte-moi pour un bien qui ne t'appartient plus.

ADRIAN

Je ne te veux qu'un mot ; accorde ma prière [2].

NATALIE

Ah ! que de ta prison n'ai-je été la geôlière !
J'aurais souffert la mort avant ta liberté, 1125
Traître, qu'espères-tu de cette lâcheté ?
La cour s'en raillera ; ton tyran, quoi qu'il die [3],
Ne saurait en son cœur priser ta perfidie.
Les martyrs, animés d'une sainte fureur,
En rougiront de honte et frémiront d'horreur ; 1130
Contre toi dans le ciel, Christ arme sa justice ;
Les ministres d'enfer préparent ton supplice ;
Et tu viens, rejeté de la terre et des cieux,
Pour me perdre avec toi, chercher grâce en ces lieux ?

*Elle sort furieuse *, et dit en s'en allant :*

Que ferai-je, ô Seigneur ! puis-je souffrir * sans peine 1135
L'ennemi de ta gloire et l'objet de ta haine ?
Puis-je vivre et me voir en ce confus état,
De la sœur d'un martyr, femme d'un apostat ?
D'un ennemi de Dieu, d'un lâche, d'un infâme ?

ADRIAN

Je te vais détromper ; où cours-tu, ma chère âme ? 1140

1. L'approche de l'ennemi.
2. Je n'exige qu'un mot de toi ; exauce ma prière.
3. Dise (subjonctif présent étymologique).

NATALIE

Ravir dans ta prison, d'une mâle vigueur,
La palme [1] qu'aujourd'hui tu perds, faute de cœur * ;
Y joindre les martyrs, et d'une sainte audace
Remplir chez eux ton rang et combattre en ta place ;
1145 Y cueillir les lauriers dont Dieu t'eût couronné,
Et prendre au ciel le lieu qui t'était destiné.

ADRIAN

Pour quelle défiance altères-tu ma gloire ?
Dieu toujours en mon cœur conserve sa victoire ;
Il a reçu ma foi, rien ne peut l'ébranler,
1150 Et je cours au trépas, bien loin d'en reculer.
Seul, sans fers, mais armé d'un invincible zèle *,
Je me rends au combat où l'Empereur m'appelle ;
Mes gardes vont devant, et je passe en ce lieu
Pour te tenir parole et pour te dire adieu.
1155 M'avoir ôté mes fers n'est qu'une vaine adresse
Pour me les faire craindre et tenter ma faiblesse ;
Et moi, pour tout effet * de ce soulagement,
J'attends le seul bonheur de ton embrassement.
Adieu, ma chère sœur, illustre et digne femme ;
1160 Je vais par un chemin d'épines et de flamme,
Mais qu'auparavant * moi Dieu lui-même a battu [2],
Te retenir un lieu digne de ta vertu *.
Adieu, quand mes bourreaux exerceront leur rage,
Implore-moi du Ciel la grâce * et le courage
1165 De vaincre la nature en cet heureux malheur,
Avec une constance égale à ma douleur.

NATALIE, *l'embrassant.*

Pardonne à mon ardeur, cher et généreux * frère,
L'injuste impression d'un soupçon téméraire,
Qu'en l'apparent état de cette liberté,
1170 Sans gardes et sans fers, tu m'avais suscité.
Va, ne relâche rien de cette sainte audace
Qui te fait des tyrans mépriser la menace ;

---

1. La palme du martyre.
2. Cf. v. 596.

Quoiqu'un grand t'entreprenne *, un plus grand est pour toi ;
Un Dieu te soutiendra, si tu soutiens sa foi.
Cours, généreux athlète, en l'illustre carrière * 1175
Où de la nuit du monde on passe à la lumière ;
Cours, puisque Dieu t'appelle aux pieds de son autel,
Dépouiller sans regret l'homme infirme et mortel [1] ;
N'épargne point ton sang en cette sainte guerre ;
Prodigues-y ton corps, rends la terre [2] à la terre ; 1180
Et redonne à ton Dieu, qui sera ton appui,
La part qu'il te demande et que tu tiens de lui ;
Fuis sans regret le monde et ses fausses délices,
Où les plus innocents ne sont point sans supplices
Dont le plus ferme état est toujours inconstant, 1185
Dont l'être et le non-être ont presque un même instant,
Et pour qui toutefois la nature aveuglée
Inspire à ses enfants une ardeur déréglée
Qui les fait si souvent, au péril du trépas,
Suivre la vanité * de ses trompeurs appas. 1190
Ce qu'un siècle y produit, un moment le consomme * ;
Porte les yeux plus haut, Adrian, parais homme ;
Combats, souffre et t'acquiers, en mourant en chrétien,
Par un moment de mal l'éternité d'un bien.

ADRIAN

Adieu, je cours, je vole au bonheur qui m'arrive ; 1195
L'effet * en est trop lent, l'heure en est trop tardive ;
L'ennui * seul que j'emporte, ô généreuse sœur,
Et qui de mon attente altère la douceur,
Est que la loi contraire au Dieu que je professe
Te prive par ma mort du bien que je te laisse, 1200
Et, l'acquérant au fisc *, ôte à ton noble sang
Le soutien de sa gloire * et l'appui de son rang.

NATALIE

Quoi, le vol que tu prends vers les célestes plaines
Souffre * encor tes regards sur les choses humaines ?
Si dépouillé du monde et si près d'en partir, 1205

---

1. Référence à la doctrine de saint Paul : le chrétien doit « dépouiller le vieil homme » (Éph, 4, 22) pour « revêtir l'homme nouveau », c'est-à-dire se convertir.
2. Ton corps fait de terre (cf. v. 787).

Tu peux parler en homme, et non pas en martyr ?
Qu'un si faible intérêt ne te soit point sensible * ;
Tiens au Ciel, tiens à Dieu, d'une force invincible ;
Conserve-moi ta gloire *, et je me puis vanter
1210 D'un trésor précieux, que rien ne peut m'ôter.
Une femme possède une richesse extrême,
Qui possède un époux possesseur de Dieu même.
Toi qui de ta doctrine assistes les chrétiens,
Approche, cher Anthyme, et joins tes vœux * aux miens.

Scène 5

ANTHYME, ADRIAN, NATALIE

ANTHYME

1215 Un bruit qui par la ville a frappé mon oreille,
De ta conversion m'apprenant la merveille *
Et le noble mépris que tu fais de tes jours,
M'amène à ton combat, plutôt qu'à ton secours.
Je sais combien César t'est un faible adversaire,
1220 Je sais ce qu'un chrétien sait et souffrir * et faire,
Et je sais que jamais, pour la peur du trépas,
Un cœur * touché de Christ n'a rebroussé ses pas.
Va donc, heureux ami, va présenter ta tête
Moins au coup qui t'attend qu'au laurier qu'on t'apprête ;
1225 Va de tes saints propos éclore les effets *,
De tous les chœurs des cieux va remplir les souhaits ;
Et vous, hôtes du ciel, saintes légions d'anges,
Qui du nom trois fois saint célébrez les louanges [1],
Sans interruption de vos sacrés concerts,
1230 À son aveuglement tenez les cieux ouverts.

ADRIAN

Mes vœux arriveront à leur comble suprême,
Si, lavant mes péchés de l'eau du saint baptême [2],
Tu m'enrôles au rang de tant d'heureux soldats

1. « Chœurs des cieux », « hôtes du Ciel », « saintes légions » : expressions consacrées pour désigner les neuf chœurs des anges, définis par saint Ambroise dans une tradition qui remonte à saint Paul (Col, 1, 16, et Éph., 1, 21). C'est l'une des raisons d'être des anges que de chanter sans cesse la gloire de Dieu (Ap, 5, 11-12).
2. Le baptême lave du péché originel et de tous les autres péchés.

Qui sous même étendard ont rendu des combats [1] ;
Confirme, cher Anthyme, avec cette eau sacrée 1235
Par qui presque en tous lieux la croix est arborée [2],
En ce fragile sein le projet glorieux
De combattre la terre et conquérir les cieux.

ANTHYME

Sans besoin, Adrian, de cette eau salutaire,
Ton sang t'imprimera ce sacré caractère [3] ; 1240
Conserve seulement une invincible foi ;
Et combattant [4] pour Dieu, Dieu combattra pour toi.

ADRIAN, *regardant le ciel et rêvant* * *un peu longtemps, dit enfin* :

Ah ! Lentule ! en l'ardeur dont mon âme est pressée,
Il faut lever le masque et t'ouvrir ma pensée ;
Le Dieu que j'ai haï m'inspire son amour ; 1245
Adrian a parlé, Genest parle à son tour !
Ce n'est plus Adrian, c'est Genest qui respire
La grâce * du baptême et l'honneur du martyre ;
Mais Christ n'a point commis * à vos profanes mains
Ce sceau mystérieux dont il marque ses saints ; 1250

Regardant au ciel, dont [5] *l'on jette quelques flammes.*

Un ministre céleste [6], avec une eau sacrée,
Pour laver mes forfaits fend la voûte azurée ;
Sa clarté m'environne, et l'air de toutes parts
Résonne de concerts, et brille à mes regards,
Descends, céleste acteur, tu m'attends ! tu m'appelles ! 1255

---

1. Cf. v. 666.
2. L'eau du baptême donne la force de porter la croix du Christ et affermit partout la religion.
3. Le baptême, par où Dieu imprime le chrétien de son sceau (« caractère » ; cf. v. 1250), est nécessaire au salut (« salutaire »), mais si le catéchumène subit le martyre pour la foi chrétienne, on dit que son martyre est son baptême, car sa mort le rend conforme à la croix du Christ. On parle alors de « baptême de sang » (par opposition au « baptême d'eau »).
4. Si tu combats.
5. D'où.
6. Un ange.

Attends, mon zèle * ardent me fournira des ailes ;
Du Dieu qui t'a commis * dépars-moi * les bontés [1].

*Il monte deux ou trois marches et passe derrière la tapisserie *.*

MARCELLE, *qui représentait Natalie.*

Ma réplique a manqué ; ces vers sont ajoutés.

LENTULE, *qui faisait Anthyme.*

Il les fait sur-le-champ, et, sans suivre l'histoire,
1260 Croit couvrir en rentrant [2] son défaut de mémoire.

DIOCLÉTIAN

Voyez avec quel art Genest sait aujourd'hui
Passer de la figure * aux sentiments d'autrui.

VALÉRIE

Pour tromper l'auditeur, abuser l'acteur même
De son métier, sans doute, est l'adresse suprême.

Scène 6

FLAVIE, GARDES, MARCELLE,
LENTULE, DIOCLÉTIAN, *etc.*

FLAVIE

1265 Ce moment dure trop, trouvons-le [3] promptement ;
César nous voudra mal [4] de ce retardement ;
Je sais sa violence et redoute sa haine.

UN SOLDAT

Ceux qu'on mande à la mort ne marchent pas sans peine.

MARCELLE

Cet homme si célèbre en sa profession,
1270 Genest, que vous cherchez, a troublé l'action,
Et, confus qu'il s'est vu, nous a quitté la place.

---

1. Fais-moi prendre part aux bontés du Dieu qui te les a confiées.
2. En rentrant dans les coulisses, c'est-à-dire en quittant la scène.
3. Allons trouver Genest.
4. Nous en voudra.

FLAVIE, *qui est Sergeste.*

Le plus heureux, parfois, tombe en cette disgrâce ;
L'ardeur de réussir le doit faire excuser.

CAMILLE, *riant, à Valérie.*

Comme son art, Madame, a su les abuser !

Scène 7

GENEST, SERGESTE, LENTULE,
MARCELLE, GARDES,
DIOCLÉTIAN, VALÉRIE, *etc.*

GENEST, *regardant le ciel, le chapeau à la main.*

Suprême Majesté, qui jettes dans les âmes 1275
Avec deux gouttes d'eau de si sensibles * flammes *,
Achève tes bontés, représente avec moi
Les saints progrès des cœurs convertis à ta foi !
Faisons voir dans l'amour dont le feu nous consomme *,
Toi le pouvoir d'un Dieu, moi le devoir d'un homme ; 1280
Toi l'accueil d'un vainqueur sensible au repentir,
Et moi, Seigneur, la force et l'ardeur d'un martyr.

MAXIMIN

Il feint comme animé des grâces * du baptême.

VALÉRIE

Sa feinte passerait pour la vérité même.

PLANCIEN

Certes, ou ce spectacle est une vérité, 1285
Ou jamais rien de faux ne fut mieux imité.

GENEST

Et vous, chers compagnons de la basse fortune
Qui m'a rendu la vie avecque * vous commune,
Marcelle, et vous, Sergeste, avec qui tant de fois
J'ai du Dieu des chrétiens scandalisé les lois, 1290
Si je puis vous prescrire un avis salutaire,

Cruels, adorez-en jusqu'au moindre mystère,
Et cessez d'attacher avec de nouveaux clous
Un Dieu qui sur la croix daigne mourir pour vous ;
1295 Mon cœur illuminé d'une grâce * céleste…

MARCELLE

Il ne dit pas un mot du couplet qui lui reste.

SERGESTE

Comment, se préparant avecque * tant de soin…

LENTULE, *regardant derrière la tapisserie* *.

Holà, qui tient la pièce [1] ?

GENEST

Il n'en est plus besoin.
Dedans cette action, où le Ciel s'intéresse,
1300 Un ange tient la pièce, un ange me redresse ;
Un ange par son ordre a comblé mes souhaits,
Et de l'eau du baptême effacé mes forfaits.
Ce monde périssable et sa gloire frivole
Est une comédie où j'ignorais mon rôle ;
1305 J'ignorais de quel feu * mon cœur devait brûler
Le démon me dictait quand Dieu voulait parler ;
Mais depuis que le soin d'un esprit angélique
Me conduit, me redresse et m'apprend ma réplique,
J'ai corrigé mon rôle, et le démon confus,
1310 M'en voyant mieux instruit, ne me suggère * plus [2] ;
J'ai pleuré mes péchés, le Ciel a vu mes larmes,
Dedans cette action il a trouvé des charmes,
M'a départi * sa grâce *, est mon approbateur,
Me propose des prix, et m'a fait son acteur.

LENTULE

1315 Quoiqu'il manque au sujet, jamais il ne hésite [3].

---

1. Qui est le souffleur ?
2. Ne me souffle plus mes paroles.
3. La *h* est ici aspirée ; le *e*, par conséquent, ne s'élide pas.

GENEST

Dieu m'apprend sur-le-champ ce que je vous récite [1] ;
Et vous m'entendez mal, si dans cette action
Mon rôle passe encor pour une fiction.

DIOCLÉTIAN

Votre désordre enfin force ma patience ;
Songez-vous que ce jeu se passe en ma présence ? 1320
Et puis-je rien comprendre au trouble où je vous vois ?

GENEST

Excusez-les, Seigneur, la faute en est à moi,
Mais mon salut dépend de cet illustre crime ;
Ce n'est plus Adrian, c'est Genest qui s'exprime ;
Ce jeu n'est plus un jeu, mais une vérité 1325
Où par mon action je suis représenté,
Où moi-même l'objet et l'acteur de moi-même,
Purgé de mes forfaits par l'eau du saint baptême
Qu'une céleste main m'a daigné conférer,
Je professe une loi * que je dois déclarer. 1330
Écoutez donc, Césars, et vous troupes romaines,
La gloire et la terreur des puissances humaines,
Mais faibles ennemis d'un pouvoir souverain
Qui foule aux pieds l'orgueil et le sceptre romain [2] ;
Aveuglé de l'erreur dont l'enfer vous infecte [3], 1335
Comme vous des chrétiens j'ai détesté * la secte *,
Et si peu que mon art pouvait exécuter,
Tout mon heur * consistait à les persécuter ;
Pour les fuir, et chez vous suivre l'idôlatrie,
J'ai laissé mes parents, j'ai quitté ma patrie, 1340
Et fait choix à dessein d'un art peu glorieux,
Pour mieux les diffamer et les rendre odieux [4] ;
Mais par une bonté qui n'a point de pareille,
Et par une incroyable et soudaine merveille *

---

1. Référence aux paroles de Jésus envoyant ses disciples en mission : « Ce que vous aurez à dire vous sera donné sur le moment, car ce n'est pas vous qui parlerez, mais l'Esprit de votre Père qui parlera en vous » (Mt, 10, 19).
2. Accord au singulier (latinisme).
3. Les fausses croyances que le diable met dans vos cœurs.
4. Selon la tradition, saint Genest fréquentait les chrétiens pour mieux parodier leurs rites sur scène.

1345 Dont le pouvoir d'un Dieu peut seul être l'auteur,
Je deviens leur rival de leur persécuteur,
Et soumets à la loi * que j'ai tant réprouvée
Une âme heureusement de tant d'écueils sauvée ;
Au milieu de l'orage où m'exposait le sort,
1350 Un ange par la main m'a conduit dans le port *,
M'a fait sur un papier voir mes fautes passées
Par l'eau qu'il me versait à l'instant effacées [1] ;
Et cette salutaire et céleste liqueur *,
Loin de me refroidir, m'a consommé * le cœur *.
1355 Je renonce à la haine et déteste * l'envie *
Qui m'a fait des chrétiens persécuter la vie ;
Leur créance * est ma foi, leur espoir est le mien,
C'est leur Dieu que j'adore, enfin je suis chrétien ;
Quelque effort * qui s'oppose, en l'ardeur qui m'enflamme,
1360 Les intérêts du corps cèdent à ceux de l'âme,
Déployez vos rigueurs, brûlez, coupez, tranchez,
Mes maux seront encor moindres que mes péchés ;
Je sais de quel repos cette peine est suivie,
Et ne crains point la mort, qui conduit à la vie ;
1365 J'ai souhaité longtemps d'agréer à vos yeux,
Aujourd'hui je veux plaire à l'Empereur des cieux ;
Je vous ai divertis, j'ai chanté vos louanges ;
Il est temps maintenant de réjouir les anges,
Il est temps de prétendre à des prix immortels,
1370 Il est temps de passer du théâtre aux autels ;
Si je l'ai mérité, qu'on me mène au martyre ;
Mon rôle est achevé, je n'ai plus rien à dire.

DIOCLÉTIAN

Ta feinte passe enfin pour importunité.

GENEST

Elle vous doit passer pour une vérité.

VALÉRIE

1375 Parle-t-il de bon sens ?

---

1. Cf. v. 1232.

MAXIMIN

Croirai-je mes oreilles ?

GENEST

Le bras qui m'a touché fait bien d'autres merveilles *.

DIOCLÉTIAN

Quoi, tu renonces, traître, au culte de nos dieux !

GENEST

Et les tiens aussi faux qu'ils me sont odieux.
Sept d'entre eux ne sont plus que des lumières sombres [1]
Dont la faible clarté perce à peine les ombres, 1380
Quoiqu'ils trompent encor votre crédulité ;
Et des autres le nom à peine en est resté.

DIOCLÉTIAN, *se levant.*

Ô blasphème exécrable ! ô sacrilège impie,
Et dont nous répondrons, si son sang ne l'expie !

À Plancien.

Préfet, prenez ce soin *, et de cet insolent 1385
Fermez les actions par un acte sanglant
Qui des dieux irrités satisfasse la haine ;

Tous se lèvent.

Qui vécut au théâtre expire dans la scène ;
Et si quelque autre, atteint du même aveuglement,
A part en son forfait, qu'il l'ait en son tourment *. 1390

MARCELLE, *à genoux.*

Si la pitié, Seigneur…

DIOCLÉTIAN

La piété plus forte
Réprimera l'audace où son erreur l'emporte.

PLANCIEN

Repassant * cette erreur d'un esprit plus remis…

---

1. Référence aux planètes qui portent le nom des dieux païens : le Soleil (Apollon), la Lune (Diane), Mercure, Vénus, Mars, Jupiter et Saturne.

DIOCLÉTIAN

Acquittez-vous du soin que je vous ai commis *.

Dioclétian sort avec toute la cour.

CAMILLE

1395 Simple *, ainsi de César tu méprises la grâce * !

GENEST

J'acquiers celle [1] de Dieu.

Scène 8

OCTAVE, LE DÉCORATEUR, MARCELLE,
PLANCIEN [,GARDES]

OCTAVE

Quel mystère se passe ?

MARCELLE

L'Empereur abandonne aux rigueurs de la loi
Genest, qui des chrétiens a professé la foi.

OCTAVE

Nos prières peut-être…

MARCELLE

Elles ont été vaines !

PLANCIEN

1400 Gardes !

UN GARDE

Seigneur ?

PLANCIEN

Menez Genest, chargé de chaînes,
Dans le fond d'un cachot attendre son arrêt.

1. Jeu de mots sur les sens du mot « grâce ».

GENEST

On le descend du théâtre.

Je t'en rends grâce, ô Ciel ! allons, me voilà prêt ;
Les anges, quelque jour [1], des fers que tu m'ordonnes
Dans ce palais d'azur me feront des couronnes.

Scène 9

[PLANCIEN, MARCELLE,
OCTAVE, LE DÉCORATEUR,
SERGESTE, LENTULE, ALBIN,
GARDES ET AUTRES ASSISTANTS]

PLANCIEN, *assis.*

Son audace est coupable autant que son erreur, 1405
D'en oser faire gloire aux yeux de l'Empereur ;
Et vous, qui sous même art courez même fortune [2],
Sa foi, comme son art, vous est-elle commune ?
Et comme un mal, souvent, devient contagieux…

MARCELLE

Le Ciel m'en garde, hélas ! 1410

OCTAVE

M'en préservent les dieux !

SERGESTE

Que plutôt mille morts…

LENTULE

Que plutôt mille flammes…

PLANCIEN, *à Marcelle.*

Que représentiez-vous ?

MARCELLE

Vous l'avez vu, les femmes,

---

1. Un jour.
2. Vous qui, en exerçant le même art, partagez sa condition.

Si selon le sujet, quelque déguisement
Ne m'obligeait parfois au travestissement.

PLANCIEN, *à Octave.*

1415 Et vous ?

OCTAVE

Parfois les rois, et parfois les esclaves.

PLANCIEN, *à Sergeste.*

Vous ?

SERGESTE

Les extravagants, les furieux * [1], les braves [2].

PLANCIEN, *à Lentule.*

Ce vieillard ?

LENTULE

Les docteurs sans lettres ni [3] sans lois [4],
Parfois les confidents, et les traîtres parfois.

PLANCIEN, *à Albin.*

Et toi ?

ALBIN, *garde.*

Les assistants [5].

PLANCIEN, *se levant.*

Leur franchise ingénue *
1420 En leur naïveté *se produit assez nue.
Je plains votre malheur, mais l'intérêt des dieux

---

1. Le « furieux » est un rôle tragique traditionnel (tels Oreste ou Médée).
2. Le « brave » est un matamore dans la tradition de la *comedia* espagnole.
3. Et (*ni* sans valeur négative).
4. Lentule est un docteur ridicule dans la tradition de la comédie italienne.
5. Les figurants.

À tout respect humain [1] nous doit fermer les yeux.
À des crimes parfois la grâce * est légitime ;
Mais à ceux de ce genre elle serait un crime,
Et si Genest persiste en son aveuglement, 1425
C'est lui qui veut sa mort, et rend son jugement ;
Voyez-le toutefois, et si ce bon office *
Le peut rendre lui-même à lui-même propice,
Croyez qu'avec plaisir je verrai refleurir
Les membres ralliés d'un corps prêt à périr. 1430

1. Terme du vocabulaire chrétien employé ici par le préfet Plancien, païen : péché consistant en la crainte du jugement et des discours des hommes, et qui conduit à se garder en public de certaines attitudes ou de certains actes religieux.

ACTE V

Scène première

GENEST, *seul dans la prison, avec des fers.*

Par quelle divine aventure,
Sensible * et sainte volupté,
Essai * de la gloire future,
Incroyable félicité,
1435 Par quelles bontés souveraines,
Pour confirmer nos saints propos,
Et nous conserver le repos
Sous le lourd fardeau de nos chaînes,
Descends-tu des célestes plaines
1440 Dedans l'horreur de nos cachots ?

Ô fausse volupté du monde,
Vaine * promesse d'un trompeur [1] !
Ta bonace * la plus profonde
N'est jamais sans quelque vapeur ;
1445 Et mon Dieu, dans la peine même
Qu'il veut que l'on souffre pour lui,
Quand il daigne être notre appui,
Et qu'il reconnaît que l'on l'aime,
Influe une douceur extrême
1450 Sans mélange d'aucun ennui *.

Pour lui la mort est salutaire,
Et par cet acte de valeur *
On fait un bonheur volontaire
D'un inévitable malheur.

---

1. Satan.

Nos jours n'ont pas une heure sûre, 1455
Chaque instant use leur flambeau,
Chaque pas nous mène au tombeau.
Et l'art, imitant la nature,
Bâtit d'une même figure
Notre bière et notre berceau. 1460

Mourons donc, la cause y convie ;
Il doit être doux de mourir
Quand se dépouiller de la vie
Est travailler pour l'acquérir ;
Puisque la céleste lumière 1465
Ne se trouve qu'en la quittant
Et qu'on ne vainc qu'en combattant ;
D'une vigueur mâle et guerrière
Courons au bout de la carrière *
Où la couronne nous attend. 1470

Scène 2

MARCELLE, LE GEÔLIER, GENEST

LE GEÔLIER, *à Marcelle.*

Entrez.

Il s'en va.

MARCELLE

Eh bien, Genest, cette ardeur insensée
Te dure-t-elle encore, ou t'est-elle passée ?
Si tu ne fais * pour toi, si le jour * ne t'est cher,
Si ton propre intérêt ne te saurait toucher,
Nous osons espérer que le nôtre possible * 1475
En cette extrémité te sera plus sensible *,
Que t'étant si cruel tu nous seras plus doux,
Et qu'obstiné pour toi, tu fléchiras pour nous.
Si tu nous dois chérir, c'est en cette occurrence,
Car, séparés de toi, quelle est notre espérance ? 1480
Par quel sort pouvons-nous survivre * ton trépas ?

Et que peut plus [1] un corps [2] dont le chef * est à bas ?
Ce n'est que de tes jours * que dépend notre vie ;
Nous mourrons tous du coup qui te l'aura ravie ;
1485 Tu seras seul coupable, et nous tous en effet,
Serons punis d'un mal que nous n'aurons point fait.

GENEST

Si d'un heureux avis vos esprits sont capables [3],
Partagez ce forfait, rendez-vous en coupables,
Et vous reconnaîtrez s'il est un heur * plus doux
1490 Que la mort qu'en effet * je vous souhaite à tous.
Vous mourriez pour un Dieu dont la bonté suprême,
Vous faisant en mourant détruire la mort même,
Ferait l'éternité le prix de ce moment,
Que j'appelle une grâce * et vous un châtiment.

MARCELLE

1495 Ô ridicule erreur, de vanter la puissance
D'un Dieu qui donne aux siens la mort pour récompense !
D'un imposteur, d'un fourbe et d'un crucifié !
Qui l'a mis dans le ciel ? qui l'a déifié ?
Un nombre d'ignorants et de gens inutiles,
1500 De malheureux, la lie et l'opprobre des villes,
De femmes et d'enfants dont la crédulité
S'est forgée à plaisir une divinité ?
De gens qui, dépourvus des biens de la fortune,
Trouvant dans leur malheur la lumière importune [4],
1505 Sous le nom de chrétiens font gloire du trépas,
Et du mépris des biens qu'ils ne possèdent pas,
Perdent l'ambition en perdant l'espérance,
Et souffrent * tout du sort avec indifférence !
De là naît le désordre épars en tant de lieux,
1510 De là naît le mépris et des rois et des dieux,
Que César irrité réprime avec justice
Et qu'il ne peut punir d'un trop rude supplice ;

---

1. Et que peut faire encore.
2. Corps humain et corps de théâtre, compagnie (voir aussi v. 1430).
3. Si vos esprits sont propres à recevoir un conseil pour votre bonheur.
4. La vie haïssable.

Si je t'ose parler d'un esprit ingénu *,
Et si le tien, Genest, ne m'est point inconnu,
D'un abus * si grossier tes sens sont incapables, 1515
Tu te ris du vulgaire et lui laisses ses fables,
Et pour quelque sujet, mais qui nous est caché,
À ce culte nouveau tu te feins attaché.
Peut-être que tu plains ta jeunesse passée,
Par une ingrate cour si mal récompensée ; 1520
Si César, en effet, était plus généreux,
Tu l'as assez suivi pour être plus heureux ;
Mais dans toutes les cours cette plainte est commune,
Le mérite bien tard y trouve la fortune ;
Les rois ont ce penser inique et rigoureux, 1525
Que sans nous rien devoir, nous devons tout pour eux,
Et que nos vœux, nos soins *, nos loisirs, nos personnes,
Sont de légers tributs, qui suivent leurs couronnes.
Notre métier surtout, quoique tant admiré,
Est l'art où le mérite est moins [1] considéré. 1530
Mais peut-on qu'en [2] souffrant vaincre un mal sans remède ?
Qui se sait modérer, s'il veut, tout lui succède * ;
Pour obtenir nos fins, n'aspirons point si haut ;
À qui le désir manque, aucun bien ne défaut [3].
Si de quelque besoin ta vie est traversée, 1535
Ne nous épargne point, ouvre-nous ta pensée ;
Parle, demande, ordonne, et tous nos biens sont tiens.
Mais quel secours, hélas ! attends-tu des chrétiens ?
Le rigoureux trépas dont César te menace ?
Et notre inévitable et commune disgrâce ? 1540

GENEST

Marcelle, avec regret, j'espère vainement
De répandre le jour sur votre aveuglement,
Puisque vous me croyez l'âme assez ravalée *,
Dans les biens infinis dont le Ciel l'a comblée,
Pour tendre à d'autres biens, et pour s'embarrasser 1545
D'un si peu raisonnable et si lâche penser.
Non, Marcelle, notre art n'est pas d'une importance

---

1. Le moins.
2. Si ce n'est en.
3. Celui qui n'attend plus rien de ce monde n'a besoin de rien.

À m'en être promis [1] beaucoup de récompense ;
La faveur d'avoir eu des Césars pour témoins *
1550 M'a trop acquis de gloire et trop payé mes soins * ;
Nos vœux, nos passions, nos veilles et nos peines,
Et tout le sang enfin qui coule dans nos veines,
Sont pour eux des tributs de devoir et d'amour,
Où le Ciel [nous] oblige en nous donnant le jour,
1555 Comme aussi j'ai toujours, depuis que je respire,
Fait des vœux pour leur gloire et pour l'heur * de l'Empire ;
Mais où je vois s'agir de l'intérêt d'un Dieu
Bien plus grand dans le ciel qu'ils ne sont en ce lieu,
De tous les empereurs l'Empereur et le Maître,
1560 Qui seul me peut sauver, comme il m'a donné l'être,
Je soumets justement leur trône à ses autels,
Et contre son honneur ne dois rien aux mortels.
Si mépriser leurs dieux est leur être rebelle,
Croyez qu'avec raison je leur suis infidèle,
1565 Et que loin d'excuser cette infidélité,
C'est un crime innocent dont je fais vanité.
Vous verrez si ces dieux de métal et de pierre
Seront puissants au ciel, comme on les croit en terre,
Et s'ils vous sauveront de la juste fureur *
1570 D'un Dieu dont la créance * y passe pour erreur.
Et lors ces malheureux, ces opprobres des villes,
Ces femmes, ces enfants et ces gens inutiles,
Les sectateurs enfin de ce crucifié,
Vous diront si sans cause ils l'ont déifié.
1575 Ta grâce * peut, Seigneur, détourner ce présage !
Mais hélas ! tous l'ayant, tous n'en ont pas l'usage [2],
De tant de conviés bien peu suivent tes pas,
Et pour être appelés, tous ne répondent pas.

MARCELLE

Cruel, puisque à ce point cette erreur te possède
1580 Que ton aveuglement est un mal sans remède,

---

1. D'une importance telle que je m'en sois promis.
2. Référence à la doctrine de la grâce (cf. v. 645) dite suffisante, c'est-à-dire offerte par Dieu également à tous les hommes, mais soumise à leur libre arbitre qui peut la rendre, à leur choix, efficace ou inefficace, sans que soit nécessaire une autre intervention de Dieu.

Trompant au moins César, apaise son courroux,
Et si ce n'est pour toi, conserve-toi pour nous.
Sur la foi d'un Dieu fondant ton espérance,
À celle de nos dieux donne au moins l'apparence,
Et sinon sous un cœur, sous un front * plus soumis, 1585
Obtiens pour nous ta grâce, et vis pour tes amis.

GENEST

Notre foi n'admet point cet acte de faiblesse ;
Je la dois publier, puisque je la professe.
Puis-je désavouer le maître que je suis ?
Aussi bien que nos cœurs, nos bouches sont à lui. 1590
Les plus cruels tourments * n'ont point de violence
Qui puisse m'obliger à ce honteux silence.
Pourrais-je encor, hélas, après la liberté
Dont cette ingrate voix l'a tant persécuté
Et dont j'ai fait un Dieu le jouet d'un théâtre 1595
Aux oreilles d'un prince et d'un peuple idolâtre,
D'un silence coupable aussi bien que la voix [1],
Devant ses ennemis méconnaître ses lois !

MARCELLE

César n'obtenant rien [2], ta mort sera cruelle.

GENEST

Mes tourments * seront courts, et ma gloire éternelle. 1600

MARCELLE

Quand la flamme et le fer paraîtront à tes yeux…

GENEST

M'ouvrant la sépulture, ils m'ouvriront les cieux.

MARCELLE

Ô dur courage d'homme !

GENEST

Ô faible cœur de femme !

1. Aussi bien que ma voix a été coupable.
2. Si César n'obtient rien.

MARCELLE

Cruel, sauve tes jours !

GENEST

Lâche, sauve ton âme !

MARCELLE

1605 Une erreur, un caprice *, une légèreté,
Au plus beau de tes ans, te coûter la clarté * !

GENEST

J'aurai bien peu vécu si l'âge se mesure
Au seul nombre des ans prescrit par la nature ;
Mais l'âme qu'au martyre un tyran nous ravit
1610 Au séjour de la gloire * à jamais se survit [1].
Se plaindre de mourir, c'est se plaindre d'être homme ;
Chaque jour le détruit, chaque instant le consomme * ;
Au moment qu'il arrive, il part pour le retour,
Et commence de perdre en recevant le jour *.

MARCELLE

1615 Ainsi rien ne te touche, et tu nous abandonnes.

GENEST

Ainsi je quitterais un trône et des couronnes ;
Toute perte est légère à qui s'acquiert un Dieu.

Scène 3

LE GEÔLIER, MARCELLE, GENEST

LE GEÔLIER

Le préfet vous demande.

MARCELLE

Adieu, cruel.

GENEST

Adieu.

[Marcelle sort.]

1. L'âme vit éternellement au paradis.

Scène 4

LE GEÔLIER, GENEST

LE GEÔLIER

Si bientôt à nos dieux vous ne rendez hommage,
Vous vous acquittez mal de votre personnage, 1620
Et je crains en cet acte un tragique succès *.

GENEST

Un favorable juge assiste à mon procès ;
Sur ses soins éternels mon esprit se repose ;
Je m'assure sur lui du succès de ma cause ;
De mes chaînes par lui je serai déchargé, 1625
Et par lui-même un jour César sera jugé [1].

Il s'en va avec le geôlier.

Scène 5

DIOCLÉTIAN, MAXIMIN,
SUITE DE GARDES

DIOCLÉTIAN

Puisse par cet hymen * votre couche féconde
Jusques aux derniers temps donner des rois au monde,
Et par leurs actions ces surgeons * glorieux
Mériter comme vous un rang entre les dieux [2] ! 1630
En ce commun bonheur l'allégresse commune
Marque votre vertu plus que votre fortune,
Et fait voir qu'en l'honneur que je vous ai rendu,
Je vous ai moins payé qu'il ne vous était dû.
Les dieux, premiers * auteurs * des fortunes des hommes, 1635
Qui dedans nos États nous font ce que nous sommes,
Et dont le plus grand roi n'est qu'un simple sujet,
Y doivent être aussi notre premier objet ;
Et sachant qu'en effet ils nous ont mis sur terre
Pour conserver leurs droits, pour régir leurs tonnerres, 1640

---

1. Lors du Jugement dernier.
2. Cf. v. 132.

Et pour laisser enfin leur vengeance en nos mains,
Nous devons sous leurs lois contenir les humains,
Et notre autorité, qu'ils veulent qu'on révère,
À maintenir la leur n'est jamais trop sévère ;
1645 J'espérais cet effet *, et que [tant de] trépas
Du reste des chrétiens redresseraient les pas :
Mais j'ai beau leur offrir de sanglantes hosties *,
Et laver leurs autels du sang de ces impies ;
En vain j'en ai voulu purger ces régions,
1650 J'en vois du sang d'un seul naître des légions.
Mon soin * nuit plus aux dieux qu'il ne leur est utile ;
Un ennemi défait leur en reproduit mille ;
Et le caprice est tel de ces extravagants
Que la mort les anime et les rend arrogants.
1655 Genest, dont cette secte * aussi folle que vaine *
A si longtemps été la risée et la haine,
Embrasse enfin leur loi * contre celle des dieux
Et l'ose insolemment professer à nos yeux ;
Outre l'impiété, ce mépris manifeste
1660 Mêle notre intérêt à l'intérêt céleste ;
En ce double attentat, que sa mort doit purger,
Nous avons et les dieux et nous-même à venger.

MAXIMIN

Je crois que le préfet, commis à cet office,
S'attend * aussi d'en faire un public sacrifice,
1665 D'exécuter votre ordre, et de cet insolent
Donner ce soir au peuple un spectacle sanglant,
Si déjà sur le bois [1] d'un théâtre funeste
Il n'a représenté l'action qui lui reste.

1. Sur les planches. Le « bois » est aussi une expression consacrée pour désigner la croix du Christ.

Scène 6

VALÉRIE, CAMILLE,
MARCELLE, *comédienne*,
OCTAVE, *comédien*,
SERGESTE, *comédien*,
LENTULE, *comédien*,
ALBIN, DIOCLÉTIAN,
MAXIMIN, SUITE DE GARDES

Tous les comédiens se mettent à genoux.

VALÉRIE, *à Dioclétian.*

Si, quand pour moi le Ciel épuise ses bienfaits,
Quand son œil provident [1] * rit à tous nos souhaits, 1670
J'ose encor espérer que dans cette allégresse
Vous souffriez * à [2] mon sexe un acte de faiblesse,
Permettez-moi, Seigneur, de rendre à vos genoux
Ces gens qu'en Genest seul vous sacrifiez tous ;

L'Empereur les fait lever.

Tous ont aversion pour la loi * qu'il embrasse, 1675
Tous savent que son crime est indigne de grâce * ;
Mais il est à leur vie un si puissant secours
Qu'ils la perdront du coup qui tranchera ses jours *.
M'exauçant, de leur chef vous détournez vos armes ;
Je n'ai pu dénier cet office * à leurs larmes, 1680
Où je n'ose insister, si ma témérité
Demande une injustice à Votre Majesté.

DIOCLÉTIAN

Je sais que la pitié plutôt que l'injustice
Vous a fait embrasser ce pitoyable office *,
Et dans tout cœur bien né tiens la compassion 1685
Pour les ennemis même une juste action [3] ;
Mais où l'irrévérence et l'orgueil manifeste
Joint l'intérêt d'État à l'intérêt céleste,
Le plaindre est, au mépris de notre autorité,
Exercer la pitié contre la piété. 1690

1. Cf. v. 897.
2. Chez.
3. Je considère la compassion pour les ennemis comme une juste action.

C'est d'un bras qui l'irrite arrêter la tempête
Que son propre dessein attire sur sa tête,
Et d'un soin * importun arracher de sa main
Le couteau dont lui-même il se perce le sein.

MARCELLE

1695 Ah ! Seigneur, il est vrai ; mais de cette tempête
Le coup frappe sur nous, s'il tombe sur sa tête,
Et le couteau fatal que l'on laisse en sa main
Nous assassine tous en lui perçant le sein.

OCTAVE

Si la grâce, Seigneur, n'est due à son offense,
1700 Quelque compassion l'est à notre innocence.

[SERGESTE]

Le fer qui de ses ans doit terminer le cours
Retranche vos plaisirs en retranchant ses jours.

[DIOCLÉTIAN]

Je connais son mérite et plains votre infortune ;
Mais outre que l'injure, avec les dieux commune [1],
1705 Intéresse l'État [2] à punir son erreur,
J'ai pour toute sa secte * une si forte horreur
Que je tiens tous les maux qu'ont soufferts ses complices,
Ou qu'ils doivent souffrir, pour de trop doux supplices.
En faveur toutefois de l'hymen * fortuné
1710 Par qui tant de bonheur à Rome est destiné,
Si par son repentir, favorable à soi-même,
De sa voix sacrilège il purge le blasphème,
Et reconnaît les dieux auteurs de l'univers,
Les bras de ma pitié vous sont encore ouverts ;
1715 Mais voici le préfet ; je crains que son supplice
N'ait prévenu * l'effet * de votre bon office *.

1. L'injure est commune à l'État et aux dieux.
2. Pousse l'État dans son propre intérêt.

Scène 7

PLANCIEN, DIOCLÉTIAN, MAXIMIN,
VALÉRIE, CAMILLE, MARCELLE,
OCTAVE, *etc.*

PLANCIEN

Par votre ordre, Seigneur, ce glorieux acteur,
Des plus fameux héros fameux imitateur,
Du théâtre romain la splendeur et la gloire,
Mais si mauvais acteur dedans sa propre histoire, 1720
Plus entier que jamais en son impiété
Et par tous mes efforts en vain sollicité,
A du courroux des dieux contre sa perfidie
Par un acte sanglant fermé la tragédie.

MARCELLE, *pleurant.*

Que nous achèverons par la fin de nos jours. 1725

OCTAVE

Ô fatale nouvelle !

SERGESTE

Ô funeste discours !

PLANCIEN

J'ai joint à la douceur, aux offres, aux prières,
À si peu que les dieux m'ont donné de lumières,
Voyant que je tentais d'inutiles efforts,
Tout l'art dont la rigueur peut tourmenter les corps ; 1730
Mais ni les chevalets [1], ni les lames flambantes,
Ni les ongles de fer, ni les torches ardentes [2],
N'ont contre ce rocher été qu'un doux zéphyr
Et n'ont pu de son sein arracher un soupir ;
Sa force en ce tourment * a paru plus qu'humaine, 1735
Nous souffrions plus que lui par l'horreur de sa peine * ;
Et nos cœurs détestant * ses sentiments chrétiens,
Nos yeux ont malgré nous fait l'office des siens ;

---

1. Instrument de torture de l'Antiquité, cheval de bois sur lequel on plaçait le supplicié en lui attachant des boulets aux pieds.
2. *Ni* = et (*ni* sans valeur négative).

Voyant la force enfin comme l'adresse vaine [1],
1740 J'ai mis la tragédie à sa dernière scène,
Et fait avec sa tête ensemble séparer [2]
Le cher nom de son Dieu qu'il voulait proférer.

DIOCLÉTIAN, *s'en allant.*

Ainsi reçoive un prompt et sévère supplice
Quiconque ose des dieux irriter la justice !

VALÉRIE, *à Marcelle.*

1745 Vous voyez de quel soin je vous prêtais les mains ;
Mais sa grâce n'est plus au pouvoir des humains.

Ils s'en vont tous pleurant.

MAXIMIN, *emmenant Valérie.*

Ne plaignez point, Madame, un malheur volontaire,
Puisqu'il l'a pu franchir et s'être salutaire,
Et qu'il a bien voulu, par son impiété,
1750 D'une feinte, en mourant, faire une vérité.

---

1. Accord au singulier (latinisme).
2. Jeu de mots : en « séparant » la tête et le corps de Genest, le bourreau lui interdit (sens religieux de « séparer ») de proférer le nom de Dieu.

DOSSIER

Passio Sancti Generii

St Gelasius / Gelasinus
St Ardalio
St Porphyrius

L. Cellor

Genêt

Bishop of Clermont
600s

1 — *La fortune de Genest : un saint pour le théâtre*

L'HISTOIRE DE SAINT GENEST

Rotrou tire le sujet de sa pièce de l'hagiographie. Saint Genest est depuis le XIIIe siècle au moins le saint patron des comédiens, fêté le 25 août par l'Église catholique. Très populaire au Moyen Âge, il est représenté nu-tête, habillé d'un vêtement court et d'un manteau ; son attribut symbolique est la rote, instrument de musique à cordes. On conserve le texte d'un mystère du XVe siècle qui lui est consacré, l'*Ystoire du glorieux corps saint Genis, à quarante-deux personnages*. Avant d'appartenir à la littérature, saint Genest ressortit donc au domaine religieux, en tant que figure marquante parmi les martyrs de l'Église primitive. Son culte s'est d'ailleurs répandu à l'ensemble des Églises d'Orient et d'Occident. Son histoire, telle qu'elle nous est rapportée par les nombreux martyrologes qui la contiennent (*Martyrologe romain*, *hyéronimien*, *Actes des Martyrs*), est à peu près celle que met en scène Rotrou dans sa pièce : l'empereur Dioclétien chargea l'acteur Genest d'observer les mœurs des chrétiens pour les parodier sur scène (mais Rotrou donne un caractère sérieux, avec l'histoire du martyre d'Adrian, au spectacle représenté par Genest). Touché miraculeusement par la grâce, Genest se convertit sur scène. L'Empereur ne le supporta pas et le fit mettre à mort. Genest fut décapité après avoir été torturé, en 285-286 ou en 303.

Le cas de Genest n'est pas isolé, et ses avatars sont nombreux. D'autres figures de comédiens canonisés, convertis dans l'exercice de leur état, sont attestées dans la tradition de l'Église des premiers siècles. À Héliopolis, on cite saint Gélase ou Gélasin, fêté le 27 février par l'Église romaine ; à Constantinople, saint Ardalion, fêté le 14 avril. Tous deux furent martyrisés, comme Genest, sous Dioclétien et Maximin. À Rome, on fête, le 5 septembre, saint Porphyre, martyrisé sous Julien l'Apostat, nommé au synaxaire grec de Constantinople à la date du 4 novembre, où on le fait mourir sous Aurélien. Et l'histoire relate un certain nombre de conversions d'acteurs mémorables : au IVe siècle, on cite saint Sylvain, moine, disciple de saint Pacôme, et sainte Pélagie qui avaient été comédiens avant de se consacrer à Dieu. Le bienheureux Jean Bon (1168-1248), fondateur de la congrégation des Jean-Bonnites (une branche de l'ordre de Saint-Augustin), quitte l'état de comédien en 1209 et se retire dans la vie religieuse. Pour le XVIIe siècle, il faut rappeler le cas de La Baltasara, Ana Martínez, connue au théâtre sous le nom de Baltasara de los Reyes. En 1611, cette actrice, l'une des plus célèbres de l'Espagne des Habsbourg, fut touchée par la grâce sur une scène de Valence ; son histoire fait le sujet de *La Gran Comedia de La Baltasara,* œuvre écrite en commun par Coello, Vélez de Guevara et Rojas Zorrilla et reprise en France par Camus dans *La Comédienne convertie* (1632). André Villiers rapporte la conversion de comédiennes récentes : Mlle Thuiller (qui témoigne de sa conversion dans les colonnes du *Figaro* le 8 janvier 1868) et Mlle Hautin, entrée au couvent des bénédictines de la rue Monsieur le 7 juin 1932 [1].

Avec *Le Véritable Saint Genest*, Rotrou s'insère donc dans une tradition chrétienne bien spécifique. Nul doute que le personnage de saint Genest n'incarne une structure, un type chrétien universel. Figure mythique du théâtre racheté, il est par nature apologétique, sur le plan chrétien, certes, puisqu'il défend sa foi jusqu'à la mort, mais aussi sur le plan dramatique, puisque le théâtre, instrument de son salut, ne peut plus être l'objet des condamnations ecclésiastiques. Il existe en ce sens un véritable cycle littéraire de Saint Genest. Scudéry mentionne saint Genest dans son *Apologie du théâtre* (1639). Parlant des comédiens de l'Antiquité qui ont souffert le martyre, il donne comme exemple « Saint Genesius, qui de la scène où il représentait, fit l'échafaud de son supplice et le Théâtre de sa gloire [2] ». Dans le *Théâtre*

1. André Villiers, *Le Cloître et la Scène. Essai sur les conversions d'acteurs,* Paris, Nizet, 1961, p. 30-37.
2. Georges de Scudéry, *Apologie du théâtre*, Paris, Courbé, 1639, p. 83.

français, Chappuzeau cite saint Genest comme modèle de comédien vertueux : « Enfin comme dans toutes sortes de professions il y a des gens qui vivent bien, et à qui il peut venir de saintes pensées, il est sorti un martyr d'entre les comédiens, et un saint Genest dont l'Église célèbre la fête le 31 d'août [*sic*], a fini ses jours par une très glorieuse tragédie [1]. ». Le thème de saint Genest est commun au nord et au sud de l'Europe. À Anvers, les jésuites font représenter en 1641 un *Genesius Mimus pro Christo martyr.* En Espagne, le thème de *San Ginés* a été traité par Lope de Vega dans *Lo fingido verdadero*, pièce dont s'inspire directement Rotrou, et au moins deux autres fois sur la scène : la première fois en 1668, dans une *comedia* écrite en commun par trois auteurs, Jerónimo de Cáncer, Pedro Rosete Niño et Antonio Martínez : *El mejor representante : San Ginés* (*Le meilleur acteur, Saint Genest*) ; puis en 1741 par Francisco Antonio Ripoll Fernández de Ureña : *Ingenio y representante, San Ginés y San Claudio* (*Bel esprit et acteur, saint Genest et saint Claude*). Une église San Ginés, dans le centre de Madrid, a longtemps été le lieu des prédications officielles de la capitale. En Italie, la figure de saint Genest est non seulement mise en scène (Michelle Stanchi, *Il San Ginnesio*, Rome, 1687), mais aussi invoquée pour défendre le théâtre par deux dramaturges-comédiens : en 1625, dans son recueil *Il Teatro Celeste*, publié en France, Giovanni Battista Andreini, dit Lelio, appelle saint Genest « *De'Theatri l'Orfeo* » (l'Orphée des théâtres) ; le saint acteur fait l'objet d'un sonnet intitulé *Conversione di S. Ginesio Comico, e idolatra, allor che'n Theatro per derider il battesimo si convertì dadovero, onde sotto Diocleziano fù decapitato.* (*Conversion de saint Genest, comédien et idolâtre, alors qu'étant sur le théâtre pour tourner en dérision le baptême, il se convertit réellement, et fut pour cette raison décapité sous Dioclétien*). Nicolò Barbieri, dit Beltrame, le mentionne dans sa *Supplica* vénitienne de 1634 ; le jésuite Ottonelli, dans son ouvrage de 1648, *Della cristiana moderazione del teatro* (*De la modération chrétienne du théâtre*), écrit :

1. Samuel Chappuzeau, *Théâtre français*, Lyon, Mayer, 1674, p. 140.

> Le peuple cependant reste tout à fait capable de comprendre, et il comprend en effet, que les comédiens ne traitent pas du mariage en tant que c'est un sacrement chrétien, et qu'*a fortiori* ils n'en traitent pas pour le tourner en dérision et s'en jouer, à la façon dont autrefois le fameux comédien Genest, avant sa conversion, tournait en dérision la fonction sacramentelle du baptême chrétien [1].

La valeur apologétique de la figure de saint Genest demeure dans la littérature contemporaine. Sartre, dans son considérable essai sur Jean Genet, dramaturge particulièrement amateur de théâtre dans le théâtre, ne s'est pas contenté de jouer sur l'homonymie des personnages : son *Saint Genet, comédien et martyr* [2], publié en 1952, est bien une œuvre apologétique, non pas, certes, apologie chrétienne en faveur d'un théâtre sacré, mais défense d'un art incompris où s'incarnent l'inversion des valeurs et le sacrilège permanent.

Le dramaturge contemporain Henri Ghéon (1875-1944) a donné sa propre version de l'histoire de saint Genest. Après sa conversion au catholicisme pendant la guerre de 1914-1918, il conçut le projet de reprendre les traditions du théâtre religieux médiéval ; d'où une longue suite de mystères d'inspiration à la fois chrétienne et populaire, qu'il fit représenter, entre autres, par la troupe des « Compagnons de Notre-Dame » fondée par lui en 1924. Quand il reprend la figure de « Genès » dans *Le Comédien et la Grâce* (1925), il témoigne que l'acteur converti a conservé dans l'univers littéraire chrétien sa valeur apologétique. S'inscrivant dans la lignée de Rotrou, il déclare dans sa préface que son œuvre appartient à la série des drames « capables d'emporter un jour les défenses dressées depuis des siècles entre l'art dramatique catholique et le grand public [3] ». Et plus loin : « Pour nous, qui exerçons notre art sur le plan de

1. Nous traduisons d'après : Pietro Ottonelli, *Della cristiana moderazione del teatro*, Florence, 1648, p. 204.
2. Jean-Paul Sartre, *Saint Genet, comédien et martyr*, in *Œuvres complètes*, Paris, Gallimard, t. I, 1952.
3. Henri Ghéon, *Le Comédien pris à son jeu* (titre primitif : *Le Comédien et la Grâce*), Paris, Plon-Nourrit et Cie (coll. Roseau d'Or, n° 2), 1925, Préface, p. V.

la vérité catholique, l'histoire de Genès n'est pas une fiction, nous la vivons tous les jours. Tous les jours nous voyons de jeunes âmes s'ouvrir, en assumant devant les spectateurs l'âme de sainte Germaine, de saint Gilles ou de saint Maurice. Nos comédiens ont opté : ils sont pour l'abandon au personnage quand celui-ci du moins les dépasse en vertu, en héroïsme et en amour de Dieu. Nous les remercions publiquement ici : ils ont inspiré cet ouvrage [1]. » Voici un passage de la pièce, qui suit la conversion de Genès :

([Genès] a dit ces dernières phrases avec un accent si profond que la foule saisie éclate en applaudissements.)

DIOCLÉTIEN, *transporté*

Bélisaire, écoutez ce peuple ! (*Alors Dioclétien se lève et, s'avançant d'un pas vers Genès qui est demeuré à genoux, la tête dans les mains, au milieu de la scène, il s'écrie :*) Ton masque ! Retire ton masque, Genès ! Tu es trop beau ; il faut que je te voie. Avec ces sanglots dans la voix, tu ne peux pas ne pas avoir le visage de tes sanglots… Enlève ton masque ! Je l'ordonne.

LE PEUPLE

Sans masque ! oui sans masque !… Vive Genès ! Bravo !

GENÈS, *lentement se relève, puis*

Je suis déjà tout démasqué, César. Mais soit ! (*Il délace lentement les cordons et ôte son masque ; il découvre un visage baigné de pleurs et transfiguré par la joie. Tonnerre d'applaudissements dans la salle. Alors, très calme et très simple, face à César.*) Je suis Genès. Je ne suis plus Adrien. Je suis Genès.

DIOCLÉTIEN, *amusé*

Bravo !
(On rit, croyant à une fantaisie.)

RUFIN, *à Bélisaire* [*deux acteurs*]

C'est évidemment curieux ; mais avec cela que devient la pièce ?

UNE VOIX

Chut !

1. *Ibid.*, p. XX.

GENÈS

Les larmes que vous pouvez voir sur mes joues ne sont point fausses : Dieu les a tirées de mes yeux. *(Un temps.)* Les paroles que je profère ne sont point mensonge : ma carrière s'achève ; j'ai fini de mentir. *(Un temps.)* Je ne suis plus Adrien et je le suis. Je suis Genès et je ne le suis plus.

BÉLISAIRE

Maintenant voici des énigmes !

GENÈS

Car si je dépouille le masque et l'apparence d'Adrien, j'épouse tout le secret de son âme ; et si je redeviens Genès, c'est un Genès nouveau qui veut se modeler sur lui. *(Rumeur.)* Ne comprenez-vous pas ? Ne lisez-vous rien sur ma face ? Vous ferai-je la confidence de la merveille qui m'advint ? *(Transfiguré.)* Ô charité d'en haut ! Lorsque l'eau de ce faux baptême a coulé sur mes membres frottés de fard, soudain, par la sublime Grâce de l'esprit, cette eau de théâtre est devenue sainte et m'a lavé en une fois de tout ce qui était mensonge, complaisance et ennemi de la vérité dans mon cœur. Car j'ai vu alors mes pensées, que j'estimais hier encore toutes égales, également chatoyantes sous le soleil, se rassembler sur moi, puis se partager en deux vols, un vol de corbeaux noirs et un vol de colombes blanches… Mais aussitôt, sous le ruissellement sacré, les oiseaux noirs se sont dissous dans la lumière, – et c'est là que je les suivrai. *(Un temps.)* Non, non… je ne veux rien de vous… En vain, vous avancez-vous les mains pleines. Je ne veux pas de vos honneurs, je ne veux pas de vos trésors, je ne veux pas de vos amours… Je n'accepterai de vous que la mort, celle du chrétien !
(Tumulte dans la salle ; mouvement sur la scène […] [1].)

ROTROU ET SAINT GENEST

Le Véritable Saint Genest s'inscrit dans un courant qui redonne à la tragédie chrétienne tout son éclat, notamment avec le *Polyeucte* de Corneille (1642). Plus ponctuellement, la représentation d'une pièce de Nicolas-Marc Desfontaines, *L'Illustre Comédien ou le Martyre de Saint Genest* (1644 ou 1645) par l'Illustre-Théâtre de Molière aurait poussé Rotrou, dramaturge attitré de l'hôtel de

1. *Ibid.*, III, 2, p. 223-226.

Bourgogne, à composer sa propre pièce. Rotrou lui donne le titre de « *Véritable* » *Saint Genest*, comme par esprit de compétition, en insistant, au moment de la publication, sur le fait que la juste version de l'histoire se trouve dans son œuvre. Directeur de troupe, acteur, auteur de romans (*L'Illustre Amalazonthe*, 1645) et de poèmes (*Paraphrase sur le Memento Homo*, 1643), Desfontaines est surtout connu pour son œuvre dramatique, composé de huit tragi-comédies (dont *La Vraie Suite du Cid*, 1638) et de cinq tragédies (dont *L'Illustre Comédien*). Contrairement à Rotrou, il ne montre pas sur scène le moment de la conversion de Genest, mais le situe dans l'espace fictif qui sépare l'acte II de l'acte III. Genest en fait le récit devant la cour de Dioclétian et les acteurs [1].

GENEST

Où suis-je ? Qu'ai-je vu ? Quelle divine flamme
Vient d'éblouir mes yeux, et d'éclairer mon âme ?
Quel rayon de lumière, épurant mes esprits,
A dissipé l'erreur qui les avait surpris ?
Je crois, je suis chrétien ; et cette grâce extrême
Dont je sens les effets est celle du baptême.

PAMPHILIE

Chrétien ? Qui vous l'a fait ?

GENEST

Je le sais.

ARISTIDE

Rêvez-vous ?

GENEST

Un ange m'a fait tel.

ANTHÉNOR

Devant qui ?

GENEST

Devant tous.

---

1. Pamphilie, Aristide, Anthénor, Luciane sont des acteurs ; Rutile est le confident de Dioclétian.

LUCIANE

Personne toutefois n'a vu cette aventure.

RUTILE, *à l'Empereur*

Il leur va débiter quelque étrange imposture.

AQUILIN

Qu'il feint bien !

DIOCLÉTIAN

Il est vrai qu'on ne peut feindre mieux,
Et qu'il charme l'oreille aussi bien que les yeux.

GENEST

Quoi ! Vous n'avez pas vu cette clarté brillante,
Dont l'effet merveilleux surpassant mon attente
Avecque tant d'éclat a paru dans ce lieu
Alors qu'il a reçu le ministre d'un Dieu.

ARISTIDE

Quel ministre ? Quel Dieu ? Tu nous contes des fables.

GENEST

Non, amis, je vous dis des choses véritables.
Naguère quand ici j'ai paru devant vous,
Les yeux levés au ciel, tête nue, à genoux,
Je voyais, ô merveille à peine concevable !
À travers ce lambris un prodige admirable,
Un ange mille fois plus beau que le soleil,
Et qui, me promettant un bonheur sans pareil,
M'a dit qu'il ne venait, si je le voulais croire,
Que pour me revêtir des rayons de sa gloire.
Lors tous mes sens ravis d'un espoir si charmant
Ont porté mon esprit à ce consentement,
Qui remplissant mon cœur d'une joie infinie
A fait voir à mes yeux cette cérémonie.
L'ange, dont la présence étonnait mon esprit,
En l'une de ses mains tenait un livre écrit,
Où la bonté du Ciel fécondant mon envie,
Je lisais aisément les crimes de ma vie ;
Mais avec un peu d'eau que l'autre main versait,
Je voyais aussitôt que l'écrit effaçait,
Et que par un effet qui passe la nature,
Mon cœur était plus calme, et mon âme plus pure.
Voilà ce que j'ai vu, voilà ce que je sens,
Et qui produit en moi des transports si puissants.

Loin de moi désormais, êtres imaginaires,
Fleaux des faibles esprits, et des âmes vulgaires,
Faux dieux, ce n'est plus vous aujourd'hui que je crains,
Ni ce foudre impuissant que l'on peint en vos mains :
Je ne vous connais plus, allez, je vous déteste,
Et mon cœur embrasé d'une flamme céleste,
Adore un Dieu vivant dont l'extrême pouvoir
Se fait craindre partout, et partout se fait voir.

DIOCLÉTIAN

Cette feinte, Aquilin, commence à me déplaire.
Qu'on cesse.

GENEST

Il n'est pas temps, ô César, de me taire.
Ce Seigneur des Seigneurs, et ce grand Roi des Rois,
De qui tout l'univers doit révérer les lois,
Sous qui l'enfer frémit, et que le ciel adore,
Veut que je continue, et que je parle encore.
Sache donc, Empereur, que ce Dieu souverain
De qui j'ai ressenti la puissance et la main,
Lors que je me pensais rire de ses oracles
Vient d'opérer en moi le plus grand des miracles,
Changeant un idolâtre en son adorateur,
Et faisant son sujet de son persécuteur.
Ne pensant divertir, ô prodiges étranges !,
Que de simples mortels, j'ai réjoui des anges,
Et dedans le dessein de complaire à tes yeux,
J'ai plu sans y penser à l'Empereur des cieux. [...] [1].

Avant de chercher à rivaliser avec Desfontaines, Rotrou a sans doute d'abord intitulé sa pièce *Le Feint véritable* ou *La Feinte véritable*. Le dernier vers de la pièce – « D'une feinte en mourant faire une vérité » – conserve, selon l'usage à cet endroit du texte, une allusion directe au premier titre. Ce titre est la traduction littérale de *Lo fingido verdadero*, une tragi-comédie de Lope de Vega, très probablement composée en 1608, imprimée en 1621, et qui constitue la source

1. [Nicolas-Marc Desfontaines], *L'Illustre Comédien ou le Martyre de Saint Genest* (1645), III, 2, publié dans *Aspects du théâtre dans le théâtre au XVIIe siècle. Recueil de pièces*, éd. Georges Forestier, Centre de Recherche « Idées, thèmes et formes : 1580-1660 », Université de Toulouse-Le Mirail, 1986, p. 35-39.

principale de Rotrou. Lope Félix de Vega Carpio (Madrid, 1562-1635) est entré de son vivant dans la légende. Son nom était si familier aux Français du XVIIe siècle qu'il servait, comme en Espagne, à exprimer l'excellence d'une chose. Poète étonnamment précoce, à la fécondité prodigieuse (il est l'auteur le plus prolifique de la littérature mondiale), à la vie sentimentale et religieuse extrêmement mouvementée (malgré deux mariages et au moins quatre maîtresses, il est ordonné prêtre en 1614), Lope de Vega était qualifié par ses contemporains de « phénix des beaux esprits » et de « prodige de la nature ». Sa production embrasse tous les genres : le roman, la poésie épique, didactique et burlesque ; mais c'est au théâtre qu'il obtient ses plus grands succès. Il écrit des centaines d'*autos* religieux, comme Calderón, ou populaires, des *loas* (courtes pièces qui précédaient la pièce principale lors d'une représentation théâtrale), des intermèdes (courtes pièces qui se jouaient entre les actes d'une pièce principale), et l'on conserve de lui près de cinq cents *comedias* sur les mille huit cents qu'il dit avoir écrites. Lope de Vega y invente une formule dramatique originale qui fera fortune en Espagne : elle est reprise par tous les grands dramaturges espagnols du siècle d'Or : Tirso de Molina, le créateur de Don Juan ; Guillén de Castro, le modèle du *Cid* de Corneille ; Calderón, l'auteur de *La Vie est un songe,* etc. Lope de Vega définit le code de la *comedia* dans un écrit théorique, *El arte nuevo de hacer comedias en este tiempo* (*L'Art nouveau de faire des comédies en ce temps*, 1609) : abolition de la distinction entre les genres, transgression volontaire des unités de temps et de lieu, réduction de la pièce à trois actes (*jornadas*), polymétrie dans l'écriture des vers, création des types du *gracioso* (ou *figura del donaire*), le complément dramatique du *galán* (le jeune premier). Lope de Vega abandonne le chemin tracé par le théâtre ancien et les règles tirées d'Aristote au nom d'une valorisation néoplatonicienne de la nature. Écrite un an avant la publication de *El arte nuevo*, la pièce *Lo fingido verdadero* constitue par son discours sur le théâtre un des manifestes théoriques les plus importants du dramaturge, qui inspire en partie les débats sur l'art dramatique du *Véritable Saint Genest* (I, 5, v. 260-286 ; II, 6, v. 453-460).

Comme la plupart de ses contemporains, Rotrou est familier de la littérature espagnole du siècle d'Or, qui, pour de multiples raisons, exerce une profonde influence sur la littérature européenne. Pour un homme du XVIIe siècle, toute création suppose un modèle, une tradition à suivre. À côté des auteurs de l'Antiquité, les Espagnols, prenant le pas sur les Italiens, deviennent dès le début du siècle la référence à laquelle les auteurs français vont chercher à se rattacher, pour l'assumer comme telle et l'adapter aux attentes de leur public. Rotrou a trouvé sa source d'inspiration dans les ouvrages et chez les auteurs les plus représentatifs de la littérature espagnole : il reprend, par exemple, un épisode de *L'Amadis de Gaule* dans *Agésilan de Colchos* (vers 1636), adapte au théâtre une des *Nouvelles exemplaires* de Cervantes dans *Les Deux Pucelles* (1636), reprend l'intrigue d'une *comedia* de Rojas Zorrilla dans *Venceslas* (1647). Mais Rotrou puise avant tout chez Lope de Vega. Il est, du reste, un des premiers à adapter une œuvre théâtrale espagnole sur la scène française, dans *La Bague de l'oubli*, sa première comédie, qui s'inspire de très près de *La Sortija del olvido*. Des *comedias* de Lope, il tire plus tard le sujet de nombreuses pièces : *Diane*, *Les Occasions perdues*, *L'Heureuse Constance*, *Laure persécutée*, *Don Bernard de Cabrère*, *Cosroès*… et surtout *Le Véritable Saint Genest*.

Avec *Lo fingido verdadero*, Lope de Vega offre à Rotrou à la fois un thème, celui de saint Genest, et une structure, celle du théâtre dans le théâtre, mais il donne à sa pièce un cadre très vaste que ne retiendra pas le dramaturge français. L'acte I nous montre toute l'ascension politique de Diocleciano, jusqu'à son élection au titre d'Empereur. Pour fêter son élection (acte II), puis son mariage (acte III), Diocleciano commande à Ginés, le chef d'une troupe théâtrale, de lui jouer d'abord une comédie d'amour (acte II), puis une pièce sur le « chrétien baptisé » (acte III) ; celle-ci introduit une dimension sacrée qui conduira au martyre de Ginés. *Lo fingido verdadero* se constitue donc à la fois comme *comedia de enredo* profane (pièce d'intrigue amoureuse) à l'acte II et comme *comedia de santos* religieuse (pièce hagiographique) à l'acte III. Toute la problématique, si importante chez Rotrou, du passage entre la réalité et la fiction se trouve illustrée, chez Lope, par l'opposition symétrique entre les deux pièces enchâssées de la *comedia*. À l'acte II, Ginés échoue à représenter l'amour qu'il éprouve réellement pour l'actrice Marcela, laquelle joue le rôle de Fabia et finit par s'enfuir avec son amant Octavio, alors qu'à l'acte III le même Ginés se convertit malgré lui au catholicisme en jouant le rôle d'un chrétien qu'il n'est pas dans la vie. Ainsi, dans l'expérience théâtrale de Ginés, la réalité (l'amour) ne parvient pas à s'imposer dans la fiction, mais la fiction (la foi) s'impose à la réalité : la foi atteint l'homme avec plus de force que les évidences de la vie quotidienne. Et c'est une leçon à tirer pour le théâtre : objet du monde créé par Dieu, il doit être ordonné au service de la transcendance.

Pour comprendre l'influence de *Lo fingido verdadero* sur la structure du *Véritable Saint Genest*, il faut replacer la pièce de Rotrou dans son contexte : après la Querelle du *Cid* (1637) qui avait opposé réguliers et irréguliers, les règles l'ont définitivement emporté. En 1645, Rotrou ne pouvait donc suivre Lope de Vega comme il l'avait fait en de précédentes occasions ; en tout cas, il ne pouvait pas reprendre son ample fresque historique contraire aux unités, ni même la succession des spectacles parallèles (autorisés en Espagne par la multiplication, d'abord, des intrigues dans une même *comedia* – c'est la théorie de l'intrigue secondaire chez Lope de Vega et ses disciples –, et par la pratique, ensuite, d'un spectacle théâtral multiple, la représentation d'une *comedia* étant toujours accompagnée de *loas* et d'intermèdes). Même si toutes les parties de la pièce de Lope de Vega finissent par se retrouver chez Rotrou (le songe de Valérie du *Véritable Saint Genest*, par exemple, provient directement de l'acte I de Lope), l'auteur français a concentré l'intrigue de son œuvre autour du dernier acte de la pièce espagnole. Chez Lope de Vega, Ginés joue le rôle d'un chrétien qui, au moment où il demande le baptême, entend une voix céleste lui annoncer le salut. Le miracle se manifeste dès la répétition pour s'accomplir de façon définitive plus tard, au cours de la représentation devant l'Empereur, selon une succession reprise par Rotrou. Et ce sont des anges, montrés sur la scène, qui viennent baptiser le saint acteur.

GINÉS

[...] Il faudra à présent que je pense à ce rôle
qui fait plaisir à César ;
il veut voir un chrétien qui soit ferme en sa religion.
Comment ferai-je pour avoir l'air d'un authentique chrétien
quand je m'offrirai sous la torture ?
Quelle action, quel visage,
quel geste seront les miens pour attirer les éloges ?
Vais-je parler avec le Christ ? Oui.
Et avec Marie ? Aussi,
Car j'ai compris qu'elle était sa mère,
et je pense avoir très bien écrit tout ce passage.
J'invoquerai les saints en ma faveur,
comme font les chrétiens quand ils vont verser leur sang ;
je renverserai furieusement les idoles qu'ils abhorrent.
Ici, j'ai l'intention de m'asseoir,
comme si on m'avait exposé à la torture la plus cruelle,
comme si j'avais vu s'entrouvrir le firmament,
pour reprendre leurs propres mots,
et comme si un martyr me parlait,
ou comme si je lui parlais.
Voilà un beau passage, voilà un beau talent !
Je dirai à César qu'il est cruel,
comme s'il était à mes côtés.
« Chien, tyran sanguinaire
(mon jeu est bon, je lui montre bien ma colère),
sache que par mon tourment
seule ta cruauté est humiliée,
car Dieu, lui, en reçoit du contentement.
Ne pense pas, bête féroce, que le fer ni le feu,
que le martyre le plus atroce me fassent, en aveugle, adorer tes [dieux. »
(Comme j'élève bien la voix !)
Alors j'ai l'intention de me tourner vers le ciel,
j'appellerai les saints comme si j'espérais,
par cet affreux martyre, devenir l'un d'entre eux.
« Saints martyrs ! priez le Christ
dans la passion duquel vous avez trouvé
de quoi supporter des tourments moins atroces,
priez-le qu'il me donne de la volonté et du courage,
et puisque, selon vos paroles, je ne puis
aller à vous sans baptême, baptisez-moi, Seigneur ! »

(Au son de la musique, des portes s'ouvrent en haut du théâtre : on y voit apparaître une statue de Notre Dame et un Christ

dans les bras de son Père, et sur les gradins du trône, des martyrs.)

Comment ai-je pu dire que je demandais le baptême,
puisque je n'ai rien écrit sur le baptême ce jour-là ?
Et comment ai-je pu entendre dans le ciel
tant d'applaudissements, tant d'harmonie ?
Mais je dois sans doute me tromper moi-même ;
et pour ce qui est de la demande de baptême,
comment puis-je mieux imiter
qu'en étant moi-même le chrétien qui veut faire son salut ?
Allons, donc, je vais le redire :
« Saints, demandez-le à Dieu, demandez-le-lui,
puisque je me décide à être chrétien,
faites que grâce à vous j'obtienne le ciel,
car je reviens de mes chimères,
avec le désir de réussir l'imitation de ce chrétien
que César ordonne d'imiter. »

(Une voix, à l'intérieur des coulisses.)

VOIX

Tu ne l'imiteras pas en vain, Ginés, car tu vas te sauver.

(La porte se ferme, et Ginés poursuit.)

Le ciel me vienne en aide ! Qu'est-ce donc ?
Qui m'a parlé ? Mais ce devait être, quoique loin d'ici,
quelqu'un de ma troupe
qui m'a vu traiter ce sujet.
Oh, qu'il m'a bien répondu !
Il a imité la voix du ciel ; il dit que je vais me sauver ;
or pour être sauvé, il faudrait que j'arrive à me faire baptiser.
Ginés, tu as beau vouloir imiter les chrétiens
pour les tourner en dérision avec de mauvaises intentions,
je pressens qu'il doit être vrai
que les chrétiens vont au ciel.
La voix qui a frappé mon oreille et pénétré mon âme,
j'ai lieu de croire que c'est le Christ,
si c'est bien lui qui m'a frappé et qui m'a touché. [...] [1].

1. Nous traduisons d'après : Lope Félix de Vega Carpio, *Lo fingido verdadero,* in *Obras escogidas,* éd. F. C. Sainz de Robles, Madrid, Aguilar, 1962, t. III, p. 192-193.

Le dernier acte de la pièce de Lope de Vega offre une forme d'épure dramatique à Rotrou, que ce dernier prolonge au long des cinq actes conventionnels de la tragédie française. Rotrou concentre donc l'action en mettant l'accent sur la pièce intérieure représentée par Genest. Avec le choix amplement développé du sujet de saint Adrien, c'est-à-dire avec le sujet d'un martyr chrétien pour la représentation intérieure, Rotrou parfait la mise en abyme qui structure son spectacle : en jouant Adrian, Genest annonce son propre martyre. L'unité de l'action provient de son dualisme même. Pour développer le contenu du spectacle intérieur (mais aussi pour les stances qui sont au début de l'acte I), Rotrou a recours à une tragédie en latin publiée en 1630, le *Sanctus Adrianus* du jésuite Louis Cellot, recteur des collèges de Rouen et de La Flèche. Ces scènes rajoutées à la structure empruntée à Lope de Vega permettent à Rotrou de prolonger la pièce intérieure et de faire durer l'ambiguïté du jeu de Genest : entre l'acteur qu'il est et le chrétien qu'il commence à devenir, Genest semble en effet participer un temps des deux êtres à la fois.

L'utilisation du texte de Cellot permet donc à Rotrou de retarder le moment du baptême de Genest, mais le motif de la conversion merveilleuse, inhérente au thème de l'acteur saint, vient de Lope de Vega.

UN ANGE, *dans le haut du théâtre*

Dieu a compris ta pensée,
car Dieu entend ton langage, Ginés,
et il voit ce que désire ton âme : il va te satisfaire.
Monte, monte, viens près de moi ; je veux te baptiser.

(Ginés monte là où se trouve l'ange.)

LE CAPITAINE [1]

Je ne sais comment ce passage va se terminer,
car nous n'avons rien répété de semblable.

LE SOLDAT

Il improvise des gestes et des répliques
sans nous donner le moindre avis.

1. Le capitaine et le soldat sont des rôles tenus par les acteurs.

LE CAPITAINE

Où va-t-il par là ?

LE SOLDAT

Je ne sais, mais le voilà qui s'est caché derrière un rideau.

DIOCLÉTIEN

Après avoir adoré Jésus-Christ, qui est le Dieu des Chrétiens,
Ginés feint à présent
que cet ange vient le voir, l'enseigner et le défendre.

MAXIMIEN

Que de vains enchantements !

(La musique se fait entendre : Ginés se montre, à genoux : un ange tient un bassin, un autre une aiguière, un autre un cierge blanc allumé, un autre un chrémeau [1].)

Ginés adresse à Dieu une vive prière en forme de sonnet, et l'apparition se referme.

La confrontation entre Rotrou et Lope de Vega, lequel fait advenir le miracle sur scène, révèle une différence essentielle dans la représentation du miracle : le Français, soumis aux bienséances de son siècle, sacrifie le réalisme catéchistique de son devancier au profit d'une peinture psychologique de sa conversion. Genest converti peut alors incarner aussi un sentiment littéraire, celui de l'ambiguïté et du jeu double. Pour un plus grand plaisir, peut-être, de nos contemporains.

---

1. *Ibid.*, p. 195.

La pièce-tableau : le théâtre se regarde

Le procédé du théâtre dans le théâtre a une double origine : le *petit théâtre* médiéval et les chœurs de la dramaturgie antique. Au Moyen Âge, le théâtre comporte souvent une scène sur la scène, *paradis* réservé aux apparitions de créatures surnaturelles, dont les personnages de la pièce deviennent spectateurs. L'habitude de montrer des tableaux peints ou des tableaux vivants à côté de l'action des protagonistes est une manière de représenter sur la scène le regard du spectateur, puisque la pièce ou le tableau introduits deviennent objet de contemplation pour les acteurs eux-mêmes. Dès le XVe siècle, les Confrères de la Passion avaient installé sur la scène de l'hôtel de Bourgogne une sorte de praticable appelé « théâtre de Jupiter » (par allusion aux apparitions surnaturelles *ex machina*), « petit théâtre » ou, comme dans *Le Véritable Saint Genest*, « théâtre élevé ». Cependant, pour qu'il y ait théâtre dans le théâtre, la présence d'un théâtre intérieur construit sur la scène n'est pas indispensable. Il suffit qu'il y ait un spectateur intérieur, spectacle au second degré. Or le chœur de la tragédie grecque a déjà cette fonction. Le théâtre dans le théâtre est donc aussi ancien que le théâtre lui-même : le chœur antique est à la fois acteur et spectateur-commentateur de l'action, intérieur et extérieur à l'intrigue, offrant au spectateur sa propre image.

Le procédé connaît un développement et un succès immenses dans l'Europe baroque, notamment en Angleterre et en Espagne, entre 1580 et 1630. Il est lié à un goût pour les structures redoublées, que manifeste aussi le tableau dans le tableau fréquent dans la peinture de la même époque. Les deux procédés trouvent d'ailleurs une sorte de coïncidence dans le tableau apporté sur scène, tableau dans le théâtre. Le théâtre dans le théâtre n'apparaît en France qu'en 1628, avec la représentation de la *Célinde* de Baro ; il témoigne à la fois d'une reconnaissance sociale et d'une prise de conscience du théâtre par lui-même : le théâtre, en se prenant comme objet de la représentation, en montrant sa magnificence et sa magie, se contemple d'abord pour s'affirmer, dans une démarche apologétique évidente.

La présence d'un spectacle intérieur détermine deux plans différents : une pièce-cadre et une pièce enchâssée. Georges Forestier en a étudié toutes les modalités, définissant une typologie selon plusieurs paramètres [1]. Un de ces paramètres est le degré de liaison entre les deux pièces : soit la pièce intérieure n'a aucun rapport avec la pièce-cadre ; soit elle en est le parfait miroir – c'est le cas du *Véritable Saint Genest* ; soit, situation intermédiaire, elle la recoupe partiellement. L'enchâssement le plus simple rappelle le statut du prologue ou de l'intermède : les personnages de la pièce sont tantôt des spectateurs qui se font donner un spectacle, tantôt des comédiens qui se préparent à en donner un ; ce spectacle intérieur se déroule ensuite de manière autonome, sans qu'on revienne jamais au niveau de la pièce-cadre. Dans les *comédies des comédiens*, comme celles de Gougenot (1633) ou de Scudéry (1635), une troupe de théâtre nous propose une ou plusieurs pièces : la pièce-cadre ne sert que de prologue aux pièces intérieures. Quant aux intermèdes, comme ceux des comédies-ballets de Molière, ils sont détachés de l'action où ils interviennent seulement pour distraire les protagonistes. Dans les deux cas cependant, l'accent est mis sur la pièce-cadre : l'intermède est essentiellement un ornement, et, dans les *comédies des comédiens*, même si le « prologue » est moins long que la suite, c'est lui qui supporte l'enjeu de la pièce, l'apologie du théâtre. Inversement, la pièce de départ peut avoir pour fonction principale d'en introduire une autre et de lui donner du relief, comme un cadre met en valeur

1. Georges Forestier, *Le Théâtre dans le théâtre sur la scène française au XVIIe siècle*, Genève, Droz, 1981.

un tableau. Dans *L'Illusion comique* de Corneille (1635), le statut théâtral de la représentation intérieure, évocation suscitée par le magicien Pridamant, n'apparaît qu'*a posteriori* : à la dernière scène, le rideau se lève et montre une garde-robe de comédiens, puis les comédiens eux-mêmes en train de se partager la recette. On comprend alors que ce qu'on croyait être la vie réelle de Clindor montrée par le magicien n'était *que* du théâtre. Corneille ne se contente pas du théâtre dans le théâtre : en dévoilant le caractère fictif de l'action intérieure, il construit une illusion à double fond.

Un second paramètre concerne l'articulation formelle entre la pièce-cadre et la pièce intérieure : la représentation intérieure peut être soit donnée d'un bloc, soit interrompue, ce qui implique une structure plus complexe. *Le Véritable Saint Genest* joue avec une grande virtuosité de ces interruptions : non seulement les spectateurs interrompent la pièce, phénomène courant, mais Rotrou représente un entracte dans la pièce intérieure, *« Le Martyre de Saint Adrian »*, pendant lequel Marcelle, personnage de la pièce-cadre, est censée passer en coulisses pour féliciter les comédiens ; cet entracte coïncide avec celui qui sépare les actes II et III du *Véritable Saint Genest*. Quant à l'intervalle entre les actes III et IV, il coïncide avec l'interruption cette fois involontaire de la pièce intérieure, due au désordre de la « foule importune » (v. 1023). La discontinuité dans la représentation de la pièce intérieure permet de brouiller davantage les limites entre les deux niveaux, d'introduire le trouble au sein de l'illusion. Or, la *Célinde* de Baro présentait déjà une telle discontinuité. L'héroïne, Célinde, amoureuse de Lucidor et promise par ses parents à Floridan, imagine de tuer ce dernier au cours d'une représentation théâtrale : elle joue la tragédie biblique d'*Holopherne* et choisit le moment où Judith poignarde le général Holopherne pour administrer un réel coup de poignard à Floridan. Le rapport avec *Le Véritable Saint Genest* est évident : la pièce intérieure est interrompue au moment où la fiction rejoint le réel, engendrant le même flottement dans l'esprit des assistants qui ne reconnaissent plus les vers et se demandent s'ils doivent admirer la « feinte » ou s'inquiéter de voir le sang couler [1]. Le début de la représentation, jouée sur un théâtre élevé, suscite les commentaires des spectateurs : Dorice, Amintor et un « *chœur* d'assistants », dont la présence rappelle la filiation directe entre le chœur de la tragédie grecque et le théâtre dans le théâtre. Amintor esquisse une apologie du théâtre par prétérition.

AMINTOR, DORICE, CHŒUR D'ASSISTANTS

[AMINTOR]

(Il amène la compagnie dans la salle où le théâtre est dressé.) Je les ai laissés qu'ils étaient presque achevés d'habiller, je pense qu'ils commenceront bientôt ; cependant prenons les sièges les plus commodes pour les voir avec attention : entre amis, les plus petites cérémonies sont un grand crime, mettez-vous où vous croirez être le mieux.

DORICE

Me voilà fort bien.

CHŒUR

Je me prépare à recevoir un plaisir extrême, car sur toutes choses j'aime cette sorte de représentations.

AMINTOR

Autrefois elles ont été le divertissement des plus grands monarques, et les Républiques mêmes en ont usé pour donner quelque horreur du vice et de l'amour pour la vertu ; que si j'en avais le temps, je ferais connaître qu'il n'est rien de plus honnête, de plus plaisant, ni de plus utile, mais je crois qu'ils vont sortir.

[Ici commence le premier acte d'*Holopherne*, avec une distribution des rôles matérialisée par une nouvelle liste des

---

1. La pièce de Baro devait recourir à un trucage : le décorateur Mahelot mentionne le sang (contenu dans des poches) que l'on répandait sur scène. L'utilisation du théâtre pour assouvir une vengeance personnelle rappelle de manière frappante certaines pièces élisabéthaines, notamment *The Spanish Tragedy* de Thomas Kyd (1586), premier exemple anglais de théâtre dans le théâtre : là aussi, le héros profite de la fiction pour tuer réellement son ennemi ; et la pièce intérieure donne lieu à un débat sur les genres, comme dans *Le Véritable Saint Genest* : l'assassin metteur en scène, contre l'avis de ses deux compères qui voudraient représenter une comédie, défend la tragédie qui entre mieux, évidemment, dans ses desseins.

personnages, Floridan jouant Holopherne et Célinde Judith. À l'entracte, les spectateurs profitent de l'interruption pour commenter le jeu des acteurs : retour à la pièce-cadre.]

AMINTOR

Véritablement je n'ai jamais ouï mieux réciter des vers, je crois que toutes les Grâces assistèrent à la naissance de Floridan, car il ne fait pas une action qui ne plaise.

DORICE

Il me tarde de voir Célinde, car si Floridan vous a plu, je m'assure qu'elle vous ravira.

CHŒUR

À voir la hardiesse de Lucidor, je meure si on ne jugerait qu'il n'a jamais fait autre profession que celle-là.

DORICE

Ah ! voici Célinde, écoutons.

[Là prennent place les cinq scènes de l'acte II d'*Holopherne*, jusqu'au moment où Judith assassine Holopherne d'un coup de poignard : à ce moment, elle redevient Célinde, la fiction se rompt.]

CÉLINDE. *Au lieu de la feinte, elle donne véritablement un coup de poignard à Floridan*

Apprends, Floridan, ce que peuvent sur moi l'amour et la tyrannie.

FLORIDAN

Ah ! Dieux ! je suis mort, ah ! Célinde.

DORICE

Voilà une feinte qui me met en peine.

AMINTOR

Les paroles de Célinde m'étonnent bien davantage, car ce qu'elle vient de dire ne doit pas être dans ses vers.

PARTHÉNICE

Ô prodige ! Ô scandale ! Floridan n'a plus de mouvement, il nage déjà dans le sang qui sort de sa blessure, qu'on se hâte de le faire emporter.

CÉLINDE. *Elle se jette en bas du théâtre et parle à eux tenant encore le poignard tout sanglant*

Parents, que désormais je nomme barbares, étonnez-vous de votre tyrannie, non pas de mon action : votre violence et mon désespoir sont les meurtriers de Floridan ; et vous éprouvez aujourd'hui combien était injuste la loi par laquelle vous me vouliez contraindre à trahir les flammes de Lucidor : il est mon mari depuis longtemps, et nul homme sans mourir ne pouvait m'empêcher d'être sa femme. Que s'il vous reste quelque désir de voir achever ce tragique spectacle, arrêtez un moment, mon bras va d'un même coup satisfaire ma fureur et votre envie [1].

LA PIÈCE-MIROIR : LE VERTIGE DE LA MISE EN ABYME

La mise en abyme est un cas particulier du théâtre dans le théâtre. Le redoublement est alors non seulement structurel, mais aussi thématique : la pièce intérieure reflète la pièce-cadre comme en un miroir, motif baroque par excellence. Ainsi les spectateurs internes ne se contentent-ils pas de contempler une pièce, mais se contemplent eux-mêmes dans une pièce, car ils ont sous les yeux leurs doubles illusoires. Comme le remarque Maximin, « [...] je serai spectateur / En la même action dont je serai l'acteur » (v. 307-308) ; et Rotrou souligne ce redoublement en précisant dans les didascalies « *Maximin acteur* » chaque fois qu'il s'agit du personnage interprété par Octave.

Sans examiner tous les cas possibles de mise en abyme, on s'arrêtera sur l'exemple des *comédies au château*, dont font partie aussi bien l'*Hamlet* de Shakespeare que *Le Véritable Saint Genest* [2] : la comédie y est jouée pour divertir le prince et sa cour, à l'occasion d'une fête ou d'un mariage. Au redoublement formel s'ajoute la thématique de la théâtralité de la cour, univers de représentation s'il en est. *Le Véritable Saint Genest* file ainsi une métaphore continuée entre le théâtre, la cour impériale et la cour céleste, trois

1. Balthasar Baro, *Célinde. Poème héroïque*, Paris, F. Pomeraye, 1629, III, 1, p. 108-109, 116-117, 127-129.
2. Ross Chambers, *La Comédie au château. Contribution à la poétique du théâtre*, Paris, José Corti, 1971.

plans de représentation dont seul le dernier est une présence réelle – comme en théologie –, renvoyant la comédie courtisane à sa présence fictive ici-bas, à son absence ontologique. Le prince se définit d'abord comme le spectateur privilégié : siégeant au centre d'une salle à l'italienne, il fait du théâtre l'instrument de sa glorification, se mire dans ce miroir souriant. Que ce miroir lui révèle son usurpation du pouvoir (*Hamlet*) ou sa soumission au pouvoir supérieur de Dieu (*Saint Genest*), il dénonce toujours un crime, respectivement le meurtre du roi légitime et le martyre des chrétiens.

Hamlet va faire jouer devant l'usurpateur le scénario de son crime pour susciter en lui une réaction qui trahira sa culpabilité. Il donne d'abord ses instructions aux comédiens, leur demandant de « présenter un miroir à la nature » (« *to hold the mirror up to nature* », III, 2). Il s'agit bien de montrer au crime son propre visage. La cour prend place devant le petit théâtre et la représentation commence, interrompue à plusieurs reprises par les commentaires d'Hamlet et d'Ophélie, jusqu'au moment où le roi, ne supportant pas le spectacle de son crime, ordonne de l'interrompre définitivement. De même que dans *Le Véritable Saint Genest* et dans *Célinde* (qui est, comme *Hamlet*, une *tragédie de vengeance*), la pièce intérieure n'est pas menée à son terme, mais suspendue par sa brutale interférence avec le réel. Cependant, alors que dans ces deux pièces la fiction devient réalité, ici la fiction révèle une réalité dissimulée.

LE ROI

Connaissez-vous le sujet de la pièce ? N'a-t-il rien qui puisse offenser ?

HAMLET

Non, non ! Ils font tout pour rire ; du poison pour rire ! Point d'offense au monde !

LE ROI

Quel est le titre de la pièce ?

HAMLET

La Souricière. Pourquoi diable ? Eh bien, au figuré. Cette pièce est l'image d'un meurtre commis à Vienne. Le duc s'appelle

Gonzague, sa femme Baptista. Vous allez voir tout à l'heure que c'est du travail de coquin ; mais qu'importe ! Votre Majesté et nous, qui avons la conscience pure, cela ne nous touche pas. Que le cheval blessé rue, nous gardons le garrot indemne.
(Entre Lucianus.)
Celui-ci est un certain Lucianus, neveu du roi.

OPHÉLIE

Vous faites très bien le chœur, Monseigneur.

HAMLET

Je pourrais raconter ce qui se passe entre vous et votre amant, si je voyais se trémousser vos marionnettes.

OPHÉLIE

Quelle pointe, Monseigneur, quelle pointe !

HAMLET

Ne tentez pas de l'émousser, cela vous ferait gémir.

OPHÉLIE

Encore meilleur, mais encore pire.

HAMLET

C'est ainsi que vous prenez vos maris : pour le meilleur et pour le pire. Commence, meurtrier ! Peste ! Laisse là tes maudites grimaces et commence ! Allons ! Le corbeau croasse et hurle à la vengeance !

LUCIANUS

Noires pensées, main prompte, drogue prête, heure propice.
Moment complice ; nulle autre créature qui regarde.
Ô toi, fétide mixture, faite de ronces cueillies à minuit,
Par le nom d'Hécate trois fois frappée, trois fois infectée,
Que tes propriétés magiques, tes effrayants pouvoirs
Dévastent sur-le-champ la santé et la vie !

(Il verse le poison dans l'oreille du roi endormi.)

HAMLET

Il l'empoisonne dans le jardin pour lui ravir ses États. Son nom est Gonzague. L'histoire est authentique, écrite dans l'italien le plus pur. Vous allez voir maintenant comment le meurtrier obtient l'amour de la femme de Gonzague.

OPHÉLIE

Le roi se lève.

HAMLET

Quoi ! effrayé par une balle à blanc ?

LA REINE

Comment se trouve Monseigneur ?

POLONIUS

Faites cesser la pièce !

LE ROI

Donnez-moi de la lumière. Sortons !

TOUS

Des lumières ! Des lumières ! Des lumières !
(Tous sortent, sauf Hamlet et Horatio [1]*.)*

DÉNÉGATION ET « CLIGNOTEMENT DE L'ILLUSION [2] »

La dimension réflexive du procédé de l'enchâssement conduit le théâtre à s'interroger sur son fonctionnement propre : le spectateur subit l'illusion théâtrale tout en sachant que ce qu'il voit n'existe pas, et oscille entre identification et distanciation. C'est cette oscillation que met sans cesse en jeu le théâtre dans le théâtre : la réduplication de la fiction scénique, en ôtant toute crédibilité à la pièce intérieure présentée ostensiblement comme fictive, investit par contrecoup la pièce-cadre d'un effet de réel – cet effet pouvant être renforcé par les dialogues réalistes en coulisses, les commentaires sur le jeu des acteurs ou les conditions matérielles de la représentation. Georges Forestier a repris le terme de « dénégation » pour qualifier ce phénomène. Mais, par un phénomène réciproque, l'irréalité de la pièce intérieure peut contaminer la pièce-cadre, conduisant les spectateurs de la salle à s'éprouver aussi fictifs que les

1. Nous traduisons d'après : William Shakespeare, *Hamlet*, éd. Harold Jenkins, The Arden Shakespeare, Methuen, 1982, rééd. Nelson, Walton on Thames, 1997, III, 2, p. 301-304.
2. Voir Jean-Marc Pelorson, « Théâtre dans le théâtre au siècle d'Or : le clignotement de l'illusion. Visuel et virtuel dans *Le Rétable des merveilles* et *Le Timide au palais* », *Les Langues néo-latines*, n° 275, fasc. 4 [n° spécial : « Côté cour, côté jardin : états du baroque »], p. 5-21.

spectateurs internes, juchés qu'ils sont les uns comme les autres sur le théâtre du monde. Or, plus le va-et-vient est fréquent entre les deux pièces, plus l'entrelacement des deux plans de fiction est complexe, et plus le vertige de l'illusion s'accroît. Dans *Le Véritable Saint Genest*, les jeux de miroirs multipliés engendrent chez les spectateurs de la salle un doute qu'entretient celui des spectateurs internes : est-ce Genest ou Adrian ? Ce doute n'est pas constant, mais varie au fil de la représentation. Il atteint son sommet à la fin de l'acte IV, entre le moment de la conversion de Genest et celui où Dioclétian comprend ce qui s'est passé : le flottement dure plus de cent vers (IV, 5-7, v. 1258 à 1378).

Ce va-et-vient permanent de la pièce intérieure à la pièce-cadre suggère que la progression dramatique joue un rôle dans le fonctionnement de la dénégation : elle la fait osciller selon les phases du spectacle. Un intermède célèbre du siècle d'Or espagnol, grand amateur de théâtre dans le théâtre, le montre de manière éclatante (rappelons que c'est sans doute en 1608, avec *Lo fingido verdadero* de Lope de Vega dont s'inspire Rotrou, que le procédé est introduit sur la scène espagnole). Dans son *Retable des merveilles* (1615), Cervantes convie en effet les spectateurs intérieurs à une représentation virtuelle. La scène demeure vide, la toile reste blanche tout au long de la représentation, manière d'ironiser avec le procédé en faisant du « non-théâtre dans le théâtre ».

Pour les spectateurs que nous sommes, la pièce se réduit alors à la contemplation de nos doubles sur la scène, les spectateurs intérieurs, et la dénégation reportée sur eux seuls, en l'absence de représentation intérieure, permet de faire la *burla* des préjugés de la société ainsi mise en scène. Chanfalla et sa femme Chirinos, montreurs de marionnettes, arrivent en effet dans un village pour donner un spectacle étrange, où « personne ne peut voir les choses qu'on y montre, s'il est tant soit peu de la race des convertis [1], ou encore s'il n'a pas été conçu et procréé par ses parents en légitime mariage ; et celui qui aurait été contaminé par ces deux maladies si communes, qu'il fasse son deuil de voir les choses jamais vues et jamais entendues dans [ce]

1. C'est-à-dire issu d'une lignée de juifs convertis au catholicisme.

retable[1] ». Mais Chanfalla et Chirinos ne montrent rien. Aucun spectateur ne voit donc un spectacle qui n'a pas lieu, mais tous feignent de voir afin de ne pas passer pour impurs. La dénégation se reporte alors sur la salle des spectateurs réels, qui partagent à l'époque de Cervantes les préjugés des spectateurs intérieurs et se voient emportés par la dénégation qui touche ces derniers ; le « non-théâtre dans le théâtre », c'est l'hypocrisie folle dénoncée, et le procédé du mensonge en scène tourné en apologie de la vérité.

LE GOUVERNEUR [*à part*]

Il suffit ! Tout le monde voit ce que je ne vois pas, mais il faudra bien que je finisse par dire que je vois, à cause du maudit point d'honneur.

CHIRINOS

Ce troupeau de souris qui paraît à présent, il descend en ligne directe de celles qui furent élevées dans l'Arche de Noé. Il y en a des blanches, il y en a des noires et rouges, il y en a couleur de jaspe, et des bleues ; mais, enfin, ce sont toutes des souris.

[JUANA] CASTRADA

Jésus ! Pauvre de moi ! Retenez-moi, ou je vais me jeter par cette fenêtre ! Des souris ? Malheureuse ! Serre tes jupes, Teresa, et fais attention, elles vont te mordre ! Et elles ne sont pas peu nombreuses ! Par la vie de ma grand-mère, il y en a plus de mille !

[TERESA] REPOLLA

C'est moi la malheureuse ; elles me passent partout. J'ai une souris toute noire qui s'accroche à mon genou ! Au secours ! Le ciel me vienne en aide, puisque j'en manque sur la terre !

BENITO [L'ALCALDE]

Heureusement que je porte mes grègues. Pas une souris qui puisse y entrer, si petite soit-elle !

CHANFALLA

Cette eau qui se laisse tomber des nuages avec tant de hâte, elle est de la source qui donne son origine et sa naissance au

1. Nous traduisons d'après : Miguel de Cervantes, *El retablo de las maravillas*, *in Entremeses*, éd. Nicholas Spadaccini, Madrid, Cátedra (Letras Hispánicas), 1992, p. 220. « Retable » signifie ici théâtre.

Jourdain. Toute femme qui en recevra sur le visage l'aura lisse comme l'argent poli, et les hommes verront leur barbe devenir comme de l'or.

[JUANA] CASTRADA

Tu entends, mon amie ? Découvre ta figure, tu vois bien que ça vaut la peine pour toi. Oh ! La savoureuse liqueur ! Couvrez-vous, mon père, n'allez pas vous mouiller !

BENITO [L'ALCALDE]

Ma fille, nous nous couvrons tous.

CAPACHO [LE GREFFIER]

Je suis plus sec que la tige d'un sparte !

GOUVERNEUR [*à part*]

Quel diable peut-il bien y avoir là ? Je n'ai pas reçu une seule goutte alors que tout le monde se noie ! Est-ce que par hasard je serais le seul bâtard parmi tous ces légitimes [1] ?

1. *Ibid.*, p. 229-230.

3 — *Apologie et paradoxe du comédien*

Apologie du théâtre et apologie du comédien

Entre 1635 et 1650, le théâtre prend acte de sa renaissance officielle, sous les auspices de Richelieu, et revendique, contre ses détracteurs, le droit à l'existence. Toutes les pièces de la période cherchent à convaincre les spectateurs des bienfaits du théâtre par le déploiement de toute sa magie et par un discours militant. Cette apologie est à la fois une défense, une justification et un éloge d'un art tout récemment entré dans les faveurs du roi. On la trouve, entre autres, dans la fameuse tirade d'Alcandre à la fin de *L'Illusion comique* de Corneille (1635), et elle fait le sujet des *Comédies des comédiens* de Gougenot (1633) et de Scudéry (1635). Les mêmes motifs y sont repris : l'éloge du prince qui permet au théâtre de fleurir en accordant sa généreuse protection (Richelieu entretient deux troupes, celle du Marais et celle de l'hôtel de Bourgogne, en leur versant une pension annuelle) ; le caractère instructif de la comédie, « école de vertu » (en réponse à l'Église qui l'accuse d'être une « école du vice ») ; la magie de la scène, enchantement puissant pour le spectateur. Certains arguments concernent plus spécifiquement le comédien. Faisant écho au mépris de l'Antiquité latine pour les histrions, mis à l'écart de la vie civique et religieuse, l'Église considère en effet l'acteur comme un être vil, qui défigure par ses singeries et ses obscénités la dignité humaine attachée à la ressemblance de Dieu, et qui mène une vie de débauche et de légèreté. En 1641, Richelieu lève l'infamie pesant sur la profession et permet aux acteurs une plus grande participation à la vie civile (par la possession de biens) et religieuse (par la réception, sous certaines conditions, des sacrements et de la sépulture ecclésiastique) : les *comédies des comédiens* sont centrées sur la défense et l'illustration du métier d'acteur par la vie exemplaire d'une troupe théâtrale.

Le Véritable Saint Genest fait la synthèse de tous les arguments pour une apologie du théâtre : du théâtre comme instrument de la gloire du Prince (I, 5) ; du théâtre comme forme littéraire capable d'égaler les Anciens et de passer à la postérité (*ibid.*) ; du théâtre comme sommet de l'art, grâce à la perfection de la scène illusionniste (II, 1) ; et, à un degré supérieur, du théâtre comme instrument de salut. Plus encore que les autres pièces de l'époque, l'œuvre est centrée sur la figure d'un comédien, Genest, et propose une réflexion sur l'art du comédien. Genest est à la fois acteur, directeur de troupe et metteur en scène : il donne l'exemple par son jeu, mais dirige aussi le jeu des autres. Dans la scène 3 de l'acte II, on le voit donner ses consignes à Marcelle. Cette scène était sûrement importante aux yeux de Rotrou, puisqu'il en a vraisemblablement écrit une variante, retrouvée en 1950 [1]. L'authenticité de ce passage, qui s'intègre au texte après le vers 371, n'a jamais été mise en doute ; il contient deux parties, un débat sur les chrétiens entre Marcelle et Genest, puis les conseils de ce dernier sur la tenue et le maquillage de l'actrice, en présence des autres acteurs de la troupe (Sergeste, Octave et Lentule), sauf Albin. Le ton familier accentue le réalisme de cette scène prise en coulisses.

GENEST

1 Et vous souvenez-vous qu'il s'y faut exciter ?

MARCELLE

J'en prendrai votre avis, oyez-moi réciter,
Car ce rôle me trouble, et j'aurai de la peine
À feindre à votre gré cette amour surhumaine.

GENEST

5 Non, ces beaux sentiments ne vous messiéront pas
En les comprenant bien.

MARCELLE

Et voilà l'embarras !

---

1. Voir Jacques Scherer, « Une scène inédite de *Saint Genest* », *Revue d'histoire littéraire de la France*, oct.-déc. 1950, n° 4, p. 385-394.

Ce que vous trouvez beau me semble ridicule.
Comment rendre touchante une femme crédule
Qui mieux qu'un bel époux préfère un sot trépas,
10 Et comprendre un esprit qui ne se comprend pas ?
Comment juger, sentir…

GENEST

Mais par analogie [1].
Jamais aucun objet préférable à la vie
Ne s'est-il emparé de votre cœur ?

MARCELLE

D'accord.
Mais si pour cet objet j'avais souffert la mort,
15 Certes je n'aurais pas au milieu des supplices
Savouré les douleurs comme autant de délices.

GENEST

Il faut être chrétien…

MARCELLE

Non. Il faut être fou
Pour désirer si fort qu'on vous tranche le cou [2].
Prenez garde, Genest, d'encourir aucun blâme
20 À montrer ces gens-là doués d'une grande âme.
Déjà même dans Rome on leur fait trop d'honneur
En les persécutant au nom de l'Empereur.
Si j'eusse été César j'aurais agi de sorte
Que sans verser du sang leur secte serait morte.

GENEST

25 De vaincre tant de cœurs quel est l'heureux moyen ?
Pour guérir tant d'esprits que faut-il faire ?

MARCELLE

Rien.
Laissons libre couler le flot de leur démence
Qui ne débordera que par la résistance [3].

GENEST

C'est sagement pensé, grave législateur.

---

1. Analogie entre l'amour humain et l'amour divin.
2. La croix est folie aux yeux du monde et sagesse aux yeux de Dieu (1Cor, 1, 18-27).
3. Que si on lui résiste.

30 Mais restons comédiens aujourd'hui.

MARCELLE

De grand cœur

Récitons.

GENEST

À la cour que vous avez charmée,
On sait que votre estime est assez confirmée ;
Mais par ce rôle-ci vous pouvez acquérir
Un renom au théâtre à ne jamais mourir.

MARCELLE

35 Vous m'en croyez bien plus que je ne m'en présume [1]
Or sans plus me flatter selon votre coutume,
Dites-moi…
Arrivent Sergeste et Octave.

OCTAVE

Nous voici. Tous habillés. Tous prêts.

GENEST, *les examinant.*

C'est bien, très bien.

MARCELLE

Sergeste, Octave, soyez vrais ;
Comment me trouvez-vous ?

SERGESTE

Oh ! parfaitement belle.

OCTAVE

40 Oui. Pourtant cette robe est trop riche, Marcelle ;
Car vous représentez une chrétienne.

MARCELLE

Bon !
Chrétienne par le cœur, ains [2] par les habits, non.
C'est sous la soie et l'or dont elle est embellie
Qu'elle cache au soupçon une croyance impie [3].

1. Ces cinq vers reprennent approximativement les vers 385-389 de la scène originelle.
2. Mais.
3. Alliance de mots : croyante chrétienne, elle est impie aux yeux des païens.

OCTAVE

45 Votre visage au moins par un peu de pâleur
Doit indiquer une âme en proie à la douleur.
Vous avez trop de fard.

MARCELLE

Vous croyez ?

OCTAVE

Oui.

MARCELLE

J'en doute.

OCTAVE

Que dit votre miroir ?

MARCELLE

Que vous n'y voyez goutte.
Je suis bien.

OCTAVE

Permettez…

GENEST

Non, non, point d'arguments.
50 Lorsque l'on réunit les deux titres charmants
Et de femme et d'actrice, en amour, en toilette,
On demande conseil pour n'agir qu'à sa tête.

MARCELLE

Oui, quand le conseiller parle tout de travers.

Arrive encore Lentule qui dit :

La cour viendra bientôt.

MARCELLE

Répétons quelques vers.

GENEST

55 Le temps nous manque.

MARCELLE

Là !

GENEST, *à Lentule.*

Commandez qu'on allume [1].

1. Reprise du vers 390.

MARCELLE, *à Octave en s'en allant.*

Je ne changerai rien, visage ni costume.

GENEST, *tout seul.*

Il serait, Adrian, honteux d'être vaincu,
Si ton Dieu veut ta mort[1]…, etc.

Le comédien-Protée

Toute apologie du comédien est en même temps une démonstration en acte : défendre et illustrer l'acteur, c'est faire la théorie de son jeu tout en montrant ses prouesses. Les écrivains du XVIIe siècle ont de l'art du comédien une conception particulière : le bon acteur doit éprouver les passions de son personnage pour les transmettre au public. « Et vous souvenez-vous qu'il s'y faut exciter ? » (v. 371), demande Genest à Marcelle. S'il veut faire illusion, l'acteur doit s'illusionner lui-même, se prendre pour le personnage qu'il joue. Cette idée vient de la théorie antique selon laquelle l'orateur doit être ému pour émouvoir. Les traités de rhétorique de Cicéron et de Quintilien se présentent en effet comme des manuels d'imitation des passions : à chacune est associée un geste, un ton, des figures d'éloquence. Une catégorie de la rhétorique est constamment comparée à l'art de l'acteur : l'action, *actio*, regroupant le geste et la voix, tout ce qui relève de la mise en scène et non du texte même. Or, jusqu'au XVIIIe siècle, en l'absence de traité sur l'art du comédien proprement dit, les traités de rhétorique en tiennent lieu, s'autorisant des nombreuses comparaisons de Cicéron et Quintilien entre les deux arts. Ainsi, par exemple, les jésuites utilisent-ils le théâtre dans un but pédagogique, comme des exercices d'action oratoire.

Les auteurs baroques, friands de métamorphoses, assimilent volontiers le comédien à un Protée, capable, le temps d'une représentation, de devenir tel ou tel personnage et de séduire le spectateur par cette fiction ; ils peuvent aussi le comparer au Phénix qui renaît chaque fois sous une identité différente. Monsieur de Blandimare, personnage de la

1. L'enchaînement se fait ici avec la scène 4 de l'acte II, v. 391. Le texte omet de mentionner la sortie de Sergeste et Lentule.

Comédie des comédiens de Scudéry (1635), reprend cette comparaison. Pour prouver la noblesse de la profession, il insiste sur la multitude et la complémentarité des compétences requises : elles relèvent autant du physique (être bien fait, avoir une belle prestance et une belle voix) que de l'intellect (comprendre la fable, agir à propos) et du caractère (n'être ni effronté, ni timide). Enfin, comme le peintre, le dramaturge ou l'orateur, l'acteur doit savoir *peindre les passions*.

MONSIEUR DE BLANDIMARE

Il y a des choses d'une nature si relevée, que la médiocrité les détruit ; et à n'en point mentir, il faut tant de qualités à un comédien, pour mériter celle de bon, qu'on ne les rencontre que fort rarement ensemble. Il faut, premièrement, que la nature y contribue, en lui donnant la bonne mine ; car c'est ce qui fait la première impression dans l'âme des spectateurs ; qu'il ait le port du corps avantageux, l'action libre et sans contrainte ; la voix claire, nette et forte ; que son langage soit exempt des mauvaises prononciations et des accents corrompus qu'on acquiert dans les provinces, et qu'il se conserve toujours la pureté du français ; qu'il ait l'esprit et le jugement bon pour l'intelligence des vers, pour les apprendre promptement, et les retenir après pour toujours ; qu'il ne soit ignorant ni de l'histoire, ni de la fable, car autrement, il fera du galimatias malgré qu'il en ait, et récitera des choses bien souvent à contresens, et aussi hors de ton qu'un musicien qui n'a point d'oreille : ses actions mêmes seront comme les pas d'un mauvais baladin, qui saute une heure après la cadence ; et de là vient tant de postures extravagantes et tant de levers de chapeau hors de saison, comme on en voit sur les théâtres. Enfin, il faut que toutes ces parties soient accompagnées d'une hardiesse modeste qui ne tenant rien de l'effronté, ni du timide, se maintienne dans un juste tempérament ; et pour conclusion, il faut que les pleurs, le rire, l'amour, la haine, la jalousie, la colère, l'ambition, et bref que toutes les passions, soient peintes sur son visage, chaque fois qu'il le voudra. Or jugez maintenant, si un homme de cette sorte est beaucoup moins rare que le Phénix [1] ?

---

1. Georges de Scudéry, *La Comédie des comédiens*, Paris, Courbé, 1635, éd. Joan Crow, University of Exeter, 1975, II, 1, p. 16.

La scène de la répétition : Molière et *L'Impromptu de Versailles*

Parmi les traits qui font son originalité en tant que pièce parlant du théâtre, *Le Véritable Saint Genest* est l'une des rares à mettre en scène un décorateur et une répétition. Cette dernière idée se retrouve dans *L'Impromptu de Versailles* (1663) de Molière : toute la pièce se présente comme la répétition d'une pièce à jouer pour Louis XIV. Molière s'y met en scène comme auteur, directeur de troupe et metteur en scène ; cette polyvalence, qui était déjà celle de Genest, fait de son seul personnage une véritable synthèse du monde théâtral. Dans la première scène, il propose aux comédiens un canevas de pièce – dont le sujet est une *comédie des comédiens* : on a ainsi du théâtre sur le théâtre sur le théâtre, ou théâtre dans le théâtre au second degré – et en incarne successivement tous les personnages : il devient effectivement Protée sous nos yeux. Toute sa doctrine en matière de récitation est résumée dans sa critique de l'emphase et de l'affectation qui caractérisaient la diction à l'époque : le naturel, toujours le naturel. Il tourne en dérision deux comédiens célèbres de l'hôtel de Bourgogne, Montfleury, spécialiste des rôles de rois chez Corneille, et la Beauchasteau, qui joua l'infante dans *Le Cid*. Le passage rappelle la célébrité du « grand Corneille », dont les vers sont dans toutes les mémoires, et illustre le phénomène du comédien immortalisé par un rôle – telle la Champmeslé dans *Phèdre*. Enfin, on voit comment chaque membre de la troupe est spécialisé dans un type comique : le roi, le valet, etc., ce que montre également *Le Véritable Saint Genest* (IV, 9).

MOLIÈRE

J'avais songé une comédie où il y aurait eu un poète, que j'aurais représenté moi-même, qui serait venu pour offrir une pièce à une troupe de comédiens nouvellement arrivés de la campagne. « Avez-vous, aurait-il dit, des acteurs et des actrices qui soient capables de bien faire valoir un ouvrage ? Car ma pièce est une pièce… – Eh ! Monsieur, auraient répondu les comédiens, nous avons des hommes et des femmes qui ont été trouvés raisonnables partout où nous avons passé. – Et qui fait les rois parmi vous ? – Voilà un acteur qui s'en démêle parfois. – Qui ? Ce jeune homme bien fait ? Vous moquez-vous ? Il faut un roi qui soit gros et gras comme quatre, un roi, morbleu ! qui soit entripaillé comme il faut, un roi d'une vaste circonférence, et qui puisse remplir le trône de la belle manière. La belle chose qu'un roi d'une taille galante ! Voilà déjà un grand défaut ; mais que je l'entende un peu réciter une douzaine de vers. » Là-dessus le comédien aurait récité, par exemple, quelques vers du roi de *Nicomède* :

Te le dirai-je, Araspe ? Il m'a trop bien servi ;
Augmentant mon pouvoir…

le plus naturellement qu'il aurait été possible. Et le poète : « Comment ? vous appelez cela réciter ? C'est se railler ! il faut dire les choses avec emphase. Écoutez-moi.

Imitant Montfleury, excellent acteur de l'hôtel de Bourgogne.
Te le dirai-je, Araspe ?…, etc.

Voyez-vous cette posture ? Remarquez bien cela. Là, appuyer comme il faut le dernier vers. Voilà ce qui attire l'approbation et fait taire le brouhaha. – Mais, Monsieur, aurait répondu le comédien, il me semble qu'un roi qui s'entretient tout seul avec son capitaine des gardes parle un peu plus humainement, et ne prend guère ce ton de démoniaque. – Vous ne savez ce que c'est. Allez-vous en réciter comme vous faites, vous verrez si vous ferez faire aucun ah ! Voyons un peu une scène d'amant et d'amante. » Là-dessus une comédienne et un comédien auraient fait une scène ensemble, qui est celle de Camille et de Curiace

Iras-tu, ma chère âme, et ce funeste honneur
Te plaît-il aux dépens de tout notre bonheur ?
– Hélas, je vois trop bien…, etc.

tout de même que l'autre, et le plus naturellement qu'ils auraient pu. Et le poète aussitôt : « Vous vous moquez, vous ne faites rien qui vaille, et voici comment il faut réciter cela.

Imitant Mlle Beauchâteau, comédienne de l'hôtel de Bourgogne.
Iras-tu, ma chère âme…, etc.
Non, je te connais mieux…, etc.

Voyez-vous comme cela est naturel et passionné ? Admirez ce visage riant qu'elle conserve dans les plus grandes afflictions. » Enfin, voilà l'idée ; et il aurait parcouru de même tous les acteurs et toutes les actrices.

MADEMOISELLE DE BRIE
Je trouve cette idée assez plaisante, et j'en ai reconnu là dès les premiers vers [1].

Du danger de l'imitation

Ce pouvoir presque magique de changer de personnage à volonté peut se révéler très dangereux, car il entraîne le comédien dans le vertige d'une perte d'identité. C'est un argument utilisé par l'Église contre le théâtre : l'acteur perdrait la maîtrise de ses passions, vertu chrétienne par excellence, se disperserait dans la multiplicité de ses apparences et deviendrait lui-même *divertissement*, dispersion à l'infini. Les procureurs citent toujours les mêmes exemples, tel l'acteur romain Ésope qui, jouant le rôle d'Oreste furieux, assassina réellement un autre acteur, au lieu de feindre d'assassiner un personnage. La fiction est non seulement vaine par elle-même, par son manque de réalité essentielle, mais dangereuse pour la réalité quand s'effacent les bornes entre la vérité et la feinte. Les apologistes du théâtre retournent l'argument : tel acteur jouant un rôle vertueux peut être incité à la vertu ; et plusieurs prennent l'exemple de saint Genest, qui, incarnant un chrétien, fut réellement transformé en chrétien.

Dans l'*Apologie du théâtre* (1639) de Scudéry, la figure de saint Genest sert à illustrer ce talent de métamorphose, que les comédiens modernes doivent maîtriser à l'exemple des comédiens de l'Antiquité.

Il s'est trouvé des comédiens qui ont soudoyé des armées, bâti des temples et des villes, tenu le sceptre de Corinthe, et ce qui vaut mieux pour la couronne royale, mérité celle du martyre, comme saint Ginesius [*Martyrologe*], qui de la scène où il représentait, fit l'échafaud de son supplice, et le théâtre de sa gloire. [...] Voilà quels étaient les comédiens [...]. [Les comédiens d'aujourd'hui] doivent apprendre quels étaient ces comédiens tant estimés, et quel soin ils apportaient à bien faire leur métier, et de quelle façon ils avaient acquis une estime si

1. Molière, *L'Impromptu de Versailles* (1663), in *Œuvres complètes*, vol. II, éd. Georges Mongrédien, Paris, GF-Flammarion, 1965, sc. 1, p. 151-152.

glorieuse. Ils sauront [*tableau du mauvais comédien*] que ce n'était ni en riant quand il faut pleurer, ni en se mettant en colère quand il faut rire, ni en se couvrant quand il faut avoir le chapeau à la main, ni en parlant au peuple quand il faut supposer qu'il n'y en a point, ni en n'écoutant pas l'acteur qui parle à eux, ni en faisant qu'Alphésibée songe bien plus à quelqu'un qui la regarde qu'au pauvre Alcméon qui parle à elle ; en un mot, comme l'a dit un grand homme [*Plutarque en la vie de Démosthène*], *les comédiens, dans la représentation, ne doivent jamais agir comme il leur plaît, mais toujours comme le sujet le demande*. Il faut s'il est possible, qu'ils se métamorphosent aux personnages qu'ils représentent [*tableau du bon comédien*], et qu'ils s'en impriment toutes les passions, qu'ils se trompent les premiers, pour tromper le spectateur ensuite ; qu'ils se croient empereurs ou pauvres, infortunés ou contents, pour se faire croire tels ; et de cette sorte, ils pourront acquérir ou mériter la gloire qu'avaient acquise et que méritaient leurs devanciers. Un célèbre auteur [*Quintilien*] dit avoir vu des comédiens si fort engagés dans un rôle triste, qu'ils en pleuraient encore au logis : et cet Ésope [*Plutarque en la vie de Cicéron*] de qui j'ai déjà parlé, jouant un jour le rôle d'Atrée, en fureur contre son frère, tua d'un coup de sceptre un de ses valets, qui passa fortuitement devant lui pour traverser le théâtre, tant il était hors de soi-même, et tant il avait épousé la passion de ce roi qu'il représentait. Mais nous pouvons encore ajouter ici un Polus, comédien grec [*Aulu-Gelle*], qui représentant une tragédie de Sophocle intitulée *Électre*, au lieu de l'urne d'Oreste, apporta sur le théâtre celle où étaient effectivement les cendres d'un fils unique que cet acteur avait perdu depuis peu : si bien qu'il représenta naïvement sa propre douleur, sous le nom de celle d'un autre. Voilà les exemples que doivent suivre et imiter nos comédiens ; et non pas celui d'un acteur nommé Pylade [*Macrobe aux* Saturnales], qui en prononçant un vers d'Euripide, où il y avait « le grand Agamemnon », se guindait et se levait sur le bout des pieds, jusqu'à souhaiter d'être monté sur des échasses ; lorsqu'un spectateur judicieux lui cria qu'il le faisait « haut, et non pas grand », comme en effet ce devait être par la majesté grave de la prononciation qu'il fallait exprimer la grandeur de ce prince, et non point par cette posture allongée et ridicule. Mais ce n'est pas la seule fois que ce comédien a récité des choses à contre-sens, ni la seule fois aussi qu'on l'en a repris de bonne grâce. Car disant un jour « Ô Cieux », il montra la terre avec la main ; et tout aussitôt après disant « Ô terre », il haussa les yeux au ciel [1].

La pensée de l'Église contre l'art du comédien n'est formulée systématiquement que dans des textes plus tardifs : soit les écrits des jansénistes, le prince de Conti ou Nicole (1666 et 1667), soit les nombreux libelles publiés lors de la violente querelle de 1694, déclenchée par la *Lettre d'un théologien* (le père Caffaro) publiée en tête du *Théâtre* de Boursault pour défendre le comédien. Tous les théologiens s'accordent pour trouver cette profession incompatible avec la vie chrétienne.

C'est un métier qui a pour but le divertissement des autres ; où des hommes et des femmes paraissent sur un théâtre pour y représenter des passions de haine, de colère, d'ambition, de vengeance, et principalement d'amour. Il faut qu'ils les expriment le plus naturellement et le plus vivement qu'il leur est possible ; et ils ne le sauraient faire, s'ils ne les excitent en quelque sorte en eux-mêmes, et si leur âme ne prend tous les plis que l'on voit sur leur visage. Il faut donc que ceux qui représentent une passion d'amour en soient en quelque sorte touchés pendant qu'ils la représentent, et il ne faut pas s'imaginer que l'on puisse effacer de son esprit cette impression qu'on y a excitée volontairement, et qu'elle ne laisse pas en nous une grande disposition à cette même passion qu'on a bien voulu ressentir. Ainsi la comédie, par sa nature même, est une école et un exercice de vice, puisque c'est un art où il faut nécessairement exciter en soi-même des passions vicieuses. Que si l'on considère que toute la vie des comédiens est occupée dans cet exercice ; qu'ils la passent tout entière à apprendre en particulier, ou à répéter entre eux, ou à représenter devant des spectateurs l'image de quelque vice ; qu'ils n'ont presque autre chose dans l'esprit que ces folies, on verra facilement qu'il est impossible d'allier ce métier avec la pureté de notre religion [2].

Il faut qu'un acteur pour exprimer ces passions, et ces sentiments le plus naturellement, et le plus vivement qu'il lui est

1. Georges de Scudéry, *Apologie du théâtre*, Paris, Courbé, 1639, p. 83-87. Nous mettons entre crochets en italique les notes marginales de l'édition originale.
2. Pierre Nicole, *Traité de la comédie* [1667], éd. Laurent Thirouin, Paris, Champion, 1998, p. 36-38.

> possible, il faut, dis-je, qu'il en excite en lui-même les mouvements. De sorte qu'au lieu que le devoir d'un chrétien, selon l'esprit de l'Évangile, est de mortifier en soi les passions et de les détruire, au contraire l'exercice ordinaire d'un comédien est de les exciter en soi et dans les autres ; et pour faire aimer ces mouvements déréglés du cœur et les rendre agréables, on les colore du nom de vertus, comme l'ambition et la vengeance de grandeur d'âme ; le désespoir et l'opiniâtreté, de constance invincible, ainsi du reste [1].

> Le métier de comédien dont on fait le panégyrique ne consiste pas seulement à divertir le monde durant deux ou trois heures ; toute la journée se ressent, et toute la vie est infectée de ce sale métier. Un personnage à faire occupe tout entier celui qui en est chargé ; il remplit tout son temps, et ne souffre plus qu'il soit le maître de son imagination, pour l'arrêter à point nommé : si un acteur a le personnage d'un amant disgracié ou d'un autre qui réussit dans ses poursuites, il y pense jour et nuit ; il songe aux moyens de s'exprimer d'une manière vive et touchante : pour cela, il faut qu'il ressente des mouvements et des passions que nous n'oserions admettre dans notre esprit pour un moment avec une attention volontaire, sans nous croire coupables devant Dieu [2].

Ces idées ne font que reprendre les critiques que l'Église adresse aux comédiens depuis Tertullien. Face à un tel adversaire, on mesure l'importance du *Véritable Saint Genest* : non seulement le théâtre n'est pas instrument de perdition, mais il est la voie du salut. Genest y perd seulement une identité fictive, celle de l'humanité terrestre, mais c'est pour gagner la véritable identité de fils de Dieu, membre à jamais du royaume céleste.

Diderot et le paradoxe du comédien

Au XVIIIe siècle, l'hostilité à l'endroit du théâtre demeure : ainsi, Rousseau reprend les arguments de l'Église en les laïcisant, dans la *Lettre à d'Alembert sur les spectacles* (1758). Il faut attendre le milieu du siècle pour

1. Laurent Péguvier, *Décision faite en Sorbonne touchant la comédie*, Paris, Coignard, 1694, p. 76.
2. Charles de La Grange, *Réfutation d'un écrit favorisant la comédie*, Paris, Couterot, 1694, p. 63-64.

trouver un vrai traité sur l'art du comédien : *L'Art du théâtre* d'Antoine Riccoboni, paru en 1750. Dès lors que cet art est pensé pour lui-même, il n'apparaît plus comme une transformation magique ou dangereuse affectant le psychisme, mais comme une technique apprise et maîtrisée.

> Lorsqu'un acteur rend avec la force nécessaire les sentiments de son rôle, le spectateur voit en lui la plus parfaite image de la vérité. Un homme qui serait vraiment en pareille situation ne s'exprimerait pas d'une autre manière, et c'est jusqu'à ce point qu'il faut porter l'illusion pour bien jouer. Étonnés d'une si parfaite imitation du vrai, quelques-uns l'ont prise pour la vérité même, et ont cru l'acteur affecté du sentiment qu'il représentait [1].

À la suite de Riccoboni, Diderot réfute, dans le *Paradoxe sur le comédien* (1769), l'idée de l'acteur inspiré, absorbé par son rôle : le bon comédien sait rester froid et lucide, garder une distance par rapport à son personnage. Seul un tel acteur sera capable d'incarner tous les rôles, de changer à volonté de personnalité.

> Les images des passions au théâtre n'en sont donc pas les vraies images, ce n'en sont donc que des portraits outrés, que de grandes caricatures assujetties à des règles de convention. Or, interrogez-vous, demandez-vous à vous-même quel artiste se renfermera le plus strictement dans ces règles données ? Quel est le comédien qui saisira le mieux cette bouffissure prescrite, ou de l'homme dominé par son propre caractère, ou de l'homme né sans caractère, ou de l'homme qui s'en dépouille pour se revêtir d'un autre plus grand, plus noble, plus violent, plus élevé ? On est soi de nature ; on est un autre d'imitation ; le cœur qu'on se suppose n'est pas le cœur qu'on a. Qu'est-ce donc que le vrai talent ? Celui de bien connaître les symptômes extérieurs de l'âme d'emprunt, de s'adresser à la sensation de ceux qui nous entendent, qui nous voient, et de les tromper par l'imitation de ces symptômes, par une imitation qui agrandisse tout dans leurs têtes et qui devienne la règle de leur jugement ; car il est impossible d'apprécier autrement ce qui se passe au-dedans de nous. Et que nous importe

---

1. Antoine Riccoboni, *L'Art du comédien*, Paris, Simon, 1750, p. 36.

en effet qu'ils sentent ou qu'ils ne sentent pas, pourvu que nous l'ignorions ?
Celui donc qui connaît le mieux et qui rend le plus parfaitement ces signes extérieurs d'après le modèle idéal le mieux conçu est le plus grand comédien [1].

1. Denis Diderot, *Paradoxe sur le comédien*, Paris, GF-Flammarion, 1981, p. 170.

Le Véritable Saint Genest de Rotrou, malgré son originalité, n'est pas isolé dans la production dramatique du XVIIe siècle : il s'insère dans un mouvement de redécouverte de la tragédie chrétienne [1].

LES ORIGINES DU THÉÂTRE RELIGIEUX EN FRANCE

Au Moyen Âge, le théâtre était en grande partie lié à la liturgie : les pièces étaient souvent jouées dans des églises, lors de fêtes religieuses, associant sans rupture cérémonial liturgique et mise en scène théâtrale ; ainsi représentait-on couramment, pour la fête de Pâques, une *Passion*, ou, à Noël, le mystère de la Nativité. Les drames sacrés étaient soit des mystères (tirés des Évangiles), soit des miracles (tirés de la vie des saints), soit encore des moralités (pièces allégoriques où intervenaient des instances morales). De la mise en scène médiévale, la scène baroque a hérité, outre le système du « petit théâtre », l'usage de compartiments permettant de représenter en même temps plusieurs lieux dans une mise en scène multiple, contre laquelle sera instituée la règle de l'unité de lieu. En 1548, le parlement interdit aux Confrères de la Passion de jouer les mystères sacrés, les autorise à s'installer à l'hôtel de Bourgogne et leur donne le monopole des représentations : il entérine ainsi une rupture entre le théâtre et l'Église, préparée de longue date par les écrits théologiques condamnant les arts de la scène. Parmi les Pères de l'Église primitive, toute une tradition d'apologistes (Tertullien, Origène, saint Augustin) condamne le théâtre comme opposé à la vie chrétienne. Cette tradition se transmet, à travers le Moyen Âge (saint Bernard), et la Contre-Réforme (saint Charles Borromée à Milan), au

1. Voir Kosta Loukovitch, *L'Évolution de la tragédie religieuse classique en France*, Paris, Droz, 1933.

XVIIe siècle français (Monsieur Olier à Paris) : elle se ravive vers 1640, quand renaît la tragédie religieuse, puis lors de la querelle du *Tartuffe* (1664-1669). Paradoxalement, les théologiens sont plus hostiles encore au théâtre religieux qu'au théâtre profane ; ils lui reprochent de manquer de respect aux vérités de la foi en mêlant à ces dernières des légendes apocryphes et la mythologie païenne, en les traitant sur un mode comique, et en confiant des rôles sacrés à des comédiens qui les profanent par leur mauvaise conduite. À la Renaissance, quand les poétiques rétablissent la distinction entre comédie et tragédie, le comique sera exclu de la scène chrétienne.

Pourtant, son exclusion de la scène officielle n'empêche pas le théâtre religieux de se développer, sur les scènes privées ou provinciales, au fil des XVIe et XVIIe siècles, avec essentiellement trois sortes de pièces : les tragédies bibliques, inspirées de l'Ancien Testament ; les tragédies évangéliques, héritières des mystères ; et les tragédies hagiographiques, centrées sur la vie ou le martyre d'un saint. Ce théâtre connaît un essor particulier au moment des guerres de Religion, car les protestants l'utilisent pour défendre leurs idées, rivalisant avec les catholiques à coups de tragédies bibliques : au *Saül le furieux* (1572) de Jean de La Taille, protestant, on peut opposer *Les Juives* (1582) de Robert Garnier, membre de la Ligue catholique. Ces auteurs jouent un grand rôle dans l'élaboration de la théorie classique : Grévin (encore un protestant) dans la préface de son *Théâtre*, et surtout La Taille avec son *Discours de la tragédie*, anticipent la codification de la tragédie au siècle suivant. Ces dramaturges humanistes tentent d'accommoder les genres antiques au goût du jour en reprenant certains ingrédients : chœurs, messagers, prologues… La *Jephté* de Buchanan (Angleterre, 1556), par exemple, n'est qu'une transposition de l'*Iphigénie* d'Euripide, tandis que l'*Herodes* d'Heinsius (Hollande, 1608) fait intervenir des Furies, créatures mythologiques. Ces exemples célèbres sont d'ailleurs invoqués par les dramaturges français, qui s'en autorisent pour écrire des pièces religieuses, tel Corneille dans l'*Examen de Polyeucte* (1660). Ajoutée aux éléments antiques, l'inspiration biblique détermine non seulement le sujet, mais le style, empreint de citations des Écritures, paraphrasant les Psaumes et imitant la poésie du verset. La tragédie religieuse devient un genre dramatique à part entière, faite d'un mélange d'influences païennes et chrétiennes – précisément ce qu'on lui reproche au XVIIe siècle.

Les Juives (1582) de Garnier racontent comment Nabuchodonosor devient, comme Maximin dans *Le Véritable Saint Genest*, le « fléau » de Dieu, l'instrument de la vengeance divine sur le peuple d'Israël qui a manqué de fidélité à Yahvé. Le rôle principal est tenu par le chœur des Juives, qui pleure le malheur de Jérusalem et le péché du peuple élu, en implorant la pitié de l'intraitable roi. Ce chœur, mêlant dans sa déploration funèbre l'incantation rituelle et la poésie des Psaumes ou des *Lamentations sur Jérusalem* du prophète Jérémie, contribue à donner à la pièce une dimension essentiellement lyrique. C'est aussi un théâtre de la cruauté : Nabuchodonosor ne se laisse pas fléchir et torture ignominieusement Sédécias, après avoir arraché ses enfants à leur mère, Amital, et les avoir tués sous ses yeux. Amital, prenant congé de ses enfants, leur recommande d'être fidèles à leur Dieu : la thématique militante de la vraie foi opposée à l'idolâtrie, trame de l'histoire d'Israël dans l'Ancien Testament, est présente dans la tragédie biblique comme elle le sera dans la tragédie de martyre. Cette tirade évoque les recommandations adressées à Natalie par sa mère dans *Le Véritable Saint Genest* (III, 5, v. 884-890).

AMITAL

Mais surtout mes enfants, ayez de Dieu mémoire.
Servez-le en votre cœur ; ne tendez qu'à sa gloire ;
Cheminez en sa voie, et n'en soyez distraits
Ni pour commandement qui vous soient onques faits,
Ni pour crainte de mort : souffrez la mort cruelle
Plutôt cent fois que d'être à notre Dieu rebelle.
N'adorez qu'un seul Dieu, que ce Dieu seulement
Qui a fait terre et ciel avec le firmament,
Qui peut tout, qui fait tout, immortel, impassible,
Qui ne se peut comprendre, à nos yeux invisible.
Aimez-le et l'honorez, craignez de l'offenser.
Aux faux dieux des gentils gardez-vous d'encenser :
Il en serait jaloux, jamais ce grand Dieu n'aime
Qu'on leur fasse l'honneur qui n'est dû qu'à lui-même,

C'est lui qui nous fait vivre, et qui pour notre bien
En six jours a bâti tout ce monde de rien.
Ne l'oubliez jamais, mes enfants, je vous prie,
Et tant que vous vivrez fuyez l'idolâtrie.
Adieu, mon cher souci ; vous me fendez le cœur.
Je transis de pitié, je perds force et vigueur.
Je me sens affaiblir : si est-ce, hélas ! si est-ce
Que je veux vous baiser avant que je vous laisse [1] !

POLYEUCTE ET LE RENOUVEAU DE LA TRAGÉDIE CHRÉTIENNE

La tragédie religieuse ne s'est donc jamais véritablement éteinte. Le théâtre jésuite a beaucoup contribué à la continuité de cette inspiration : les professeurs de collège composaient des pièces latines destinées à être jouées par les élèves, comme exercice de déclamation. De sujet biblique ou hagiographique, souvent jouées à l'occasion d'une distribution des prix, elles ont une diffusion privée et un but ouvertement didactique, affichant explicitement leur intention moralisatrice. Dès 1577, elles figurent dans le cursus scolaire de la Compagnie (le *Ratio studiorum*), sous certaines réserves : le sujet doit être pieux et traité avec respect, aucune actrice ne viendra se mêler aux jeunes élèves pour interpréter les rôles féminins. Ces pièces ne furent pas toutes publiées, certaines ne nous sont connues que par l'argument. Les jésuites représentent ainsi au fil des XVIIe et XVIIIe siècles la continuité d'une production théâtrale où les dramaturges viennent puiser abondamment : Rotrou s'inspire, pour la pièce intérieure, *« Le Martyre d'Adrian »*, du *Sanctus Adrianus* (1630) du père Cellot, l'un des plus célèbres de ces auteurs. Quant à Corneille, élève des jésuites de Rouen et traducteur de *L'Imitation de Jésus-Christ*, il trouve chez le père Bartolommei la source de ses deux pièces chrétiennes, *Polyeucte* (1641) et *Théodore* (1645).

La création de *Polyeucte* pendant l'hiver 1641-1642 à l'hôtel de Bourgogne marque la renaissance du théâtre religieux sur la scène *publique* française. Celle-ci est due à un

1. Robert Garnier, *Les Juifves* [sic], éd. Marcel Hervier, Paris, Classiques Garnier, 1949, acte IV, v. 1731-1752.

regain de ferveur religieuse – marquée, entre autres, par les débuts du jansénisme et ses conversions retentissantes – et à une ferveur théâtrale non moins grande, encouragée, en particulier, par Richelieu. Déjà, entre 1637 et 1642, plusieurs pièces religieuses ou semi-religieuses avaient vu le jour [1], mais Corneille, par son renom déjà établi, donne au genre ses lettres de noblesse. Chez ses contemporains, la thématique religieuse restait liée à des formes archaïques héritées des mystères : le merveilleux intervenait sans cesse sous forme de visions, d'apparitions d'anges et autres miracles, tandis que l'intrigue multipliait les lieux et les temps sans souci de vraisemblance. Corneille, remportant avec *Polyeucte* un succès immense, est le premier à traiter un sujet chrétien dans un cadre strictement régulier : c'est même la première de ses pièces qui respecte entièrement l'unité de lieu.

L'intrigue est simple : sous la persécution de Dèce (250), Polyeucte, converti au christianisme par son ami Néarque, renverse les idoles, en un geste symbolique qui rappelle Moïse brisant le veau d'or. Le gouverneur Félix, son beau-père, essaie en vain de le fléchir, puis le fait mettre en prison. Dans la prison, Polyeucte récite ses fameuses stances, puis reçoit Pauline qui tente une dernière fois de le faire renoncer à son Dieu (IV, 2 et 3). Cette séquence, sommet de la pièce, a été reprise par Rotrou (V, 1 et 2) : stances de Genest, puis entrevue avec Marcelle. La scène de Corneille permet de comparer son utilisation dramaturgique de la rhétorique chrétienne avec celle de Rotrou : les personnages opposent terme à terme deux positions, deux systèmes de valeurs inconciliables, fondées soit sur la terre, soit sur le ciel. Comme Genest, Polyeucte refuse de dissimuler sa foi pour « donne[r] au moins l'apparence » (V, 2, v. 1584) de la foi païenne.

---

1. Le *Saint Eustache* de Baro, créé à l'hôtel de Bourgogne en 1636 (date incertaine), est la première de cette veine, mais il faut tenir compte des pièces à sujet historique orientées vers l'édification chrétienne : *Thomas Morus* (1640) de Puget de La Serre ; *L'Innocent malheureux* (1639) de Grenaille ; *La Pucelle* de d'Aubignac (1640)… Le *Saül* (1642) de Du Ryer est contemporain de *Polyeucte*. Dès 1628, on l'a vu, Baro avait inséré dans sa *Célinde* une pièce à sujet biblique, *Holopherne*, premier exemple de la rencontre entre thème religieux et procédé du théâtre dans le théâtre.

POLYEUCTE

J'ai de l'ambition, mais plus noble et plus belle :
Cette grandeur périt, j'en veux une immortelle,
Un bonheur assuré, sans mesure et sans fin,
Au-dessus de l'envie, au-dessus du destin.
Est-ce trop l'acheter que d'une triste vie
Qui tantôt, qui soudain me peut être ravie ;
Qui ne me fait jouir que d'un instant qui fuit,
Et ne peut m'assurer de celui qui le suit ?

PAULINE

Voilà de vos chrétiens les ridicules songes ;
Voilà jusqu'à quel point vous portent leurs mensonges ;
Tout votre sang est peu pour un bonheur si doux !
Mais, pour en disposer, ce sang est-il à vous ?
Vous n'avez pas la vie ainsi qu'un héritage ;
Le jour qui vous la donne en même temps l'engage :
Vous la devez au prince, au public, à l'État.

POLYEUCTE

Je la voudrais pour eux perdre dans un combat ;
Je sais quel en est l'heur, et quelle en est la gloire.
Des aïeux de Décie on vante la mémoire ;
Et ce nom, précieux encore à vos Romains,
Au bout de six cents ans lui met l'empire aux mains.
Je dois ma vie au peuple, au prince, à sa couronne ;
Mais je la dois bien plus au Dieu qui me la donne :
Si mourir pour son prince est un illustre sort,
Quand on meurt pour son Dieu, quelle sera la mort !

PAULINE

Quel Dieu !

POLYEUCTE

Tout beau, Pauline : il entend vos paroles,
Et ce n'est pas un Dieu comme vos dieux frivoles,
Insensibles et sourds, impuissants, mutilés,
De bois, de marbre, d'or, comme vous les voulez :
C'est le Dieu des chrétiens, c'est le mien, c'est le vôtre ;
Et la terre et le ciel n'en connaissent point d'autres.

PAULINE

Adorez-le dans l'âme, et n'en témoignez rien.

POLYEUCTE

Que je sois tout ensemble idolâtre et chrétien !

PAULINE

Ne feignez qu'un moment, laissez partir Sévère,
Et donnez lieu d'agir aux bontés de mon père.

POLYEUCTE

Les bontés de mon Dieu sont bien plus à chérir :
Il m'ôte des périls que j'aurais pu courir,
Et, sans me laisser lieu de tourner en arrière,
Sa faveur me couronne entrant dans la carrière ;
Du premier coup de vent il me conduit au port,
Et, sortant du baptême, il m'envoie à la mort.
Si vous pouviez comprendre, et le peu qu'est la vie,
Et de quelles douceurs cette mort est suivie [1] !

Si les liens entre Corneille et Rotrou s'entourent de légende, l'influence de *Polyeucte* sur *Le Véritable Saint Genest* se remarque à plusieurs niveaux : le sujet même du martyre, la reprise de scènes ou de motifs (la prison, l'affrontement entre le chrétien et l'autorité païenne), et jusqu'à certains vers très proches [2]. Le même enjeu théologique sous-tend les deux pièces, objet des récentes polémiques entre molinistes et jansénistes (l'*Augustinus* de Jansénius paraît à Paris en 1641, au moment même où est créé *Polyeucte*) : quelle est la part respective du libre arbitre et de la grâce divine dans le salut ?

Les deux dramaturges donnent une réponse très différente. Chez Corneille, dont toutes les tragédies exaltent la volonté humaine, l'ascension de Polyeucte vers l'héroïsme trouve son aboutissement dans la gloire divine : le royaume des cieux, comme on le voit dans la scène citée, est l'ultime et la plus glorieuse conquête du héros. Certes, les deux auteurs laissent leur héros libre d'accepter ou de refuser la grâce ; mais, tandis que Polyeucte peut coopérer à son salut, Genest, au contraire, accepte passivement le coup de grâce. Inexplicable, celui-ci échappe à l'ordre humain et le per-

---

1. Corneille, *Polyeucte martyr*, in *Théâtre*, t. II, Paris, GF-Flammarion, 1980, IV, 3, v. 1191-1232, p. 478-479.
2. Rotrou a beaucoup cité les scènes 3 et 4 de l'acte IV dans la longue tirade de Genest (IV, 6, v. 1322-1372). Jusqu'aux derniers mots du comédien qui font écho à ceux du martyr : « Mon rôle est achevé, je n'ai plus rien à dire » (v. 1372) ; « Qu'on me mène à la mort, je n'ai plus rien à dire. » (*Polyeucte*, v. 1312).

turbe irrémédiablement ; la grâce, don gratuit de Dieu, est infiniment mystérieuse. Polyeucte, collaborant à l'œuvre de Dieu, convertit effectivement Félix et Pauline ; alors que Genest, lui, ne convertit personne, demeurant le seul élu. Dans le monde optimiste du moliniste Corneille, les voies de Dieu ont une part de rationalité qui les rend accessibles et rassurantes aux hommes ; dans celui de l'augustinien Rotrou, l'ordre de la grâce relève d'une autre réalité, supérieure et incompréhensible. L'ange apparaissant à Genest marque l'origine radicalement transcendante du miracle, tandis que Corneille réduit le miracle à l'action tout intérieure de la conversion, et partant donne une grande part à la psychologie, presque absente du *Véritable Saint Genest*. Alors que chez Corneille, il y a continuité entre raison et foi, entre les plans psychologique et métaphysique, chez Rotrou, la grâce n'est plus le couronnement de l'héroïsme, l'apothéose d'un homme supérieur, mais un anti-héroïsme : témoins la basse naissance de Genest, l'échec à la fois de sa pièce et de son exemple de conversion. Il est seul sauvé. « De tant de conviés, bien peu suivent tes pas, / Et pour être appelés, tous ne répondent pas. » (V, 2, v. 1577-1578).

Ce double mystère de la grâce et du libre arbitre n'est pas seulement illustré dans la pièce par des références aux débats théologiques contemporains ; il sert d'axe à la construction dramaturgique. En effet, cette complémentarité de la grâce et du libre arbitre trouve son analogie, au théâtre, dans la complémentarité du rôle et de la personne. De même que la liberté humaine est d'abord rebelle à l'action de la grâce, de même la conversion de Genest en Adrian, son rôle, suscite toute la résistance de sa personne. Ainsi, si Genest finit par adhérer à la grâce qui sauve, c'est au prix d'un authentique combat spirituel.

Le credo de Polyeucte (V, 3), comme celui d'Adrian (III, 2, v. 683-706), proclame la confiance en un Dieu tout-puissant et triomphant (là où Genest insiste sur le mystère du péché et de la rédemption). Cette séquence où le martyr illustre sa foi, défendant les principaux points de la doctrine (Dieu créateur, Dieu Amour mort pour sauver les hommes), en l'opposant aux faux dieux « de métal », « d'airain » ou « de pierre », est systématiquement présente dans les tragédies chrétiennes ; l'expression même de « dieux de métal » se retrouve dans la bouche d'Adrian (III, 2, v. 754), puis de Genest (IV, 2, v. 1567). Cette *scène à faire* est ici un point culminant, qui intervient juste avant la sortie définitive du héros :

> Je n'adore qu'un Dieu, maître de l'Univers,
> Sous qui tremblent le ciel, la terre et les enfers,
> Un Dieu qui, nous aimant d'une amour infinie,
> Voulut mourir pour nous avec ignominie,
> Et qui, par un effort de cet excès d'amour,
> Veut pour nous en victime être offert chaque jour.
> Mais j'ai tort d'en parler à qui ne peut m'entendre.
> Voyez l'aveugle erreur que vous ose défendre :
> Des crimes les plus noirs vous souillez tous vos dieux ;
> Vous n'en punissez point qui n'ait son maître aux cieux ;
> La prostitution, l'adultère, l'inceste,
> Le vol, l'assassinat et tout ce qu'on déteste,
> C'est l'exemple qu'à suivre offrent vos immortels [1].

Après *Polyeucte*, Corneille donne une seconde pièce chrétienne, *Théodore, vierge et martyre* (1645), dont l'insuccès s'explique en partie par l'opposition des autorités religieuses. La mode semble retomber dans la seconde moitié du siècle, et il faut attendre les deux pièces commandées à Racine pour la maison des jeunes filles de Saint-Cyr, *Esther* (1689) et *Athalie* (1691), pour voir resurgir l'inspiration religieuse au théâtre. Ces pièces bibliques, très différentes des œuvres de Corneille et de Rotrou, tout en rappelant le ton des tragédies humanistes par le lyrisme des chœurs réellement chantés, relèvent avant tout de la dramaturgie propre à Racine : concentration tragique, conflit des passions, maîtrise dans l'expression.

D'UNE POÉTIQUE DE LA TRAGÉDIE CHRÉTIENNE

À la Renaissance, les écrivains qui codifient les différents genres théâtraux en se fondant sur la *Poétique* d'Aristote soulignent les contradictions inhérentes à l'idée même d'une tragédie chrétienne.

---

1. Pierre Corneille, *Polyeucte martyr*, éd. cit., V, 3, v. 1657-1669, p. 494.

Les pièces médiévales, destinées à enseigner le peuple, tenaient en même temps le rôle de sermons : aussi les personnages, ou plus souvent le chœur, se lançaient-ils dans l'exposé d'un dogme ou d'un passage de l'histoire sainte sans lien direct avec l'intrigue. Ce danger était déjà signalé par Jean de La Taille :

> Et si c'est un sujet qui appartienne aux lettres divines [la Bible], qu'il n'y ait point un tas de discours de théologie, comme choses qui dérogent au vrai sujet, et qui seraient mieux séantes à un prêche [1].

Dans *Les Juives* de Garnier, le chœur raconte ainsi l'histoire du péché originel, le déluge, la sortie d'Égypte… Les pièces jésuites, conçues pour l'instruction des élèves, conserveront cet aspect : dans le *Sanctus Adrianus* du père Cellot, Adrian expose longuement l'apologétique de Tertullien, que l'auteur s'est contenté de paraphraser. Toute l'habileté des dramaturges consiste à intégrer ces éléments théologiques à la fiction théâtrale, de sorte qu'ils apparaissent naturellement dans le discours des personnages, motivés par la nécessité de se justifier devant les païens, et soient illustrés par leur attitude même (c'est le cas, par exemple, de la doctrine de la grâce et du libre arbitre illustrée par Corneille et Rotrou).

Le second élément critiqué est le mélange des genres et des tons qu'on trouvait dans les mystères médiévaux : une fois rétablie la distinction antique entre comédie et tragédie, la thématique religieuse se verra cantonnée dans le genre noble de la tragédie, toute forme de comique paraissant irrévérencieux, voire blasphématoire. *A fortiori*, la représentation des sacrements constitue le pire blasphème, car Dieu lui-même se rend présent à travers eux. C'est pourquoi les dramaturges interrompent toujours la comédie avant le mariage, sacrement chrétien ; et c'est ce qui explique la mise en scène du baptême de Genest : l'acteur passe derrière la tapisserie pour le recevoir d'un ange, hors de la vue des spectateurs. Cependant, si les tragédies humanistes

1. Jean de La Taille, *Discours de la tragédie*, éd. Elliott Forsyth, Paris, Société des textes français modernes, 1968, p. 7.

étaient dénuées de tout comique, la situation est légèrement différente dans les pièces chrétiennes du XVIIe siècle : il n'est pas rare d'y trouver un certain mélange des registres, sous l'influence de la tragi-comédie dont la vogue coïncide avec le renouveau du théâtre religieux. *Le Véritable Saint Genest*, malgré son titre de « tragédie », emprunte plus d'un élément à la comédie : tout le premier acte reprend, nous l'avons vu, la forme de la *comédie au château* (mariage de la princesse et divertissement théâtral ; basse extraction des personnages ; réalisme des scènes de comédiens...). Il semble que Rotrou, suivant là son modèle Lope de Vega, ait exploité à dessein l'idée d'une comédie qui se termine en tragédie, l'ambiguïté des tons soulignant le renversement central.

Autant qu'au mélange des genres, les théoriciens répugnent au mélange de la réalité et de la fiction et au recours affiché au merveilleux, troisième élément contesté dans la tragédie chrétienne. Pour représenter l'Écriture sainte, qui est la Vérité même, il faudrait pouvoir observer une fidélité littérale à l'histoire, et préférer le vrai au vraisemblable, à l'encontre de la doctrine classique qui fonde sa conception du vraisemblable sur un réalisme psychologique : quoi de moins vraisemblable en effet qu'un miracle ? De même que, dans la Querelle du *Cid*, Corneille invoquait la vérité historique pour justifier son infraction au vraisemblable, de même les auteurs de tragédies chrétiennes invoquent-ils la vérité suprême de l'histoire sainte. Balthasar Baro qui, avant même la résurrection du genre, introduit dans sa *Célinde* (1628) la représentation enchâssée de l'histoire de Judith et Holopherne, explique son recours à un sujet sacré par divers arguments, dont il souligne le plus important :

> Outre cela, c'est une maxime reçue parmi la plupart de ceux qui ont écrit, que la tragédie n'a pour objet que la vérité, de sorte que ne m'étant pas permis d'en inventer une, il était impossible que je rencontrasse jamais une histoire qui convînt plus parfaitement à mon dessein [1].

De surcroît, le merveilleux chrétien paraît déplacé parce qu'il présente un double danger, menaçant à la fois l'illusion

---

1. Balthasar Baro, *Célinde. Poème héroïque*, Paris, F. Pomeraye, 1629. Préface.

théâtrale et la religion : l'invraisemblance peut empêcher le spectateur d'accorder créance à la pièce ; et, plus grave encore, ce manque de crédibilité peut atteindre gravement les vérités de la foi. L'épuration du merveilleux se fera donc en deux étapes, suivant le mouvement général du genre dramatique : d'abord par la suppression du merveilleux visible, tel les miracles et les apparitions sur scène ; puis par la diminution de la part qu'il occupe dans la fable même. Seuls les jésuites continueront à représenter sur scène des saint Sébastien résistant aux traits des flèches ou des anges apparaissant aux protagonistes. Sur ce plan, *Le Véritable Saint Genest* adopte une position subtilement intermédiaire : le miracle a bien lieu sur scène, mais le spectateur ne le voit pas. Il n'est lié qu'en partie à la machinerie théâtrale, les seuls effets utilisés étant la voix de l'ange et les flammes.

La quatrième difficulté concerne l'effet propre de la tragédie, qui doit produire la catharsis (ou purgation des passions) en suscitant la terreur et la pitié. Pour que le spectateur éprouve de la pitié pour le héros, celui-ci doit être un juste tombé par quelque faute dans le malheur. Il ne doit pas être tout à fait bon, sinon il susciterait moins la pitié que la révolte face à son châtiment immérité ; or, les saints des tragédies sont généralement irréprochables, bien qu'ils ne soient pas tenus d'être sans péché. En outre, pour susciter de la terreur, la tragédie doit se terminer par le malheur du héros : si la mort chrétienne est un passage vers un bonheur suprême et éternel, si même les souffrances sont un délice, où sont donc les larmes ? Si l'on suit Jean Rousset [1], la véritable tragédie de Genest ne serait pas de mourir, mais de suggérer la mort du théâtre, l'impossibilité de toute fiction scénique. Bien davantage, la tragédie de Genest a pour rôle d'illustrer l'inconsistance de toute vie humaine emportée sur le théâtre du monde.

1. Jean Rousset, *L'Intérieur et l'Extérieur. Essais sur la poésie et le théâtre au XVII*e *siècle*, Paris, José Corti, 1968, p. 159-160.

5 — *Le théâtre du monde*

UN LIEU COMMUN

Ce *monde* périssable et sa gloire frivole
Est une *comédie* où j'ignorais mon rôle [1]...

Le monde est un théâtre. L'homme est un acteur qui joue sur le théâtre du monde un rôle transitoire. Voilà une des idées qui structurent *Le Véritable Saint Genest* dans le jeu qu'il met en scène entre fiction et réalité. Cette idée constitue un lieu commun, le *theatrum mundi* [2]. Le lieu commun n'est pas un cliché, mais une idée partagée par tous, *commune* au sens fort du terme. Thème remontant à l'Antiquité, il faut donc le distinguer clairement du théâtre dans le théâtre, procédé dramatique apparu à l'âge baroque, qui offre au lieu commun une mise en forme dramatique singulière. Le théâtre du monde est une de ces métaphores consacrées, nombreuses dans la littérature, qui servent à qualifier la fragilité de la vie humaine. La vie est un pèlerinage, une auberge, un jeu d'échecs, un songe... autant de variantes d'un même thème que les contemporains de Rotrou se sont plu à reprendre, sans ignorer pourtant ni son ancienneté ni sa diffusion. Un tel schéma de pensée constitue en effet un canevas tout préparé pour des développements littéraires dans tous les genres, aussi bien dans la prose que dans la poésie, au théâtre que dans la littérature religieuse.

Dans la deuxième partie de *Don Quichotte*, publiée à Madrid en 1615, Cervantès montre combien les hommes du XVIIe siècle savaient jouer du lieu commun, en le désignant comme tel : au chapitre XII, croyant toujours que la littéra-

---

1. IV, 7, v. 1304-1305.
2. Voir Jean Jacquot, « Le théâtre du monde de Shakespeare à Calderón », *Revue de littérature comparée,* XXXI, n° 3, juil.-sept. 1957, p. 341-372.

ture est la vraie vie, le chevalier fou de la Manche parle au clair de lune avec son écuyer Sancho Panza. La conversation tourne autour d'une troupe de théâtre qu'ils ont croisée au chapitre précédent. Et Don Quichotte refait le monde le temps de filer la métaphore du *theatrum mundi*, tandis que le narrateur s'adresse au lecteur par la voix discrète de Sancho.

> – Les sceptres et les couronnes des empereurs au théâtre n'ont jamais été en or massif, répondit Sancho Panza, mais en oripeau ou en fer-blanc.
> – Tu dis vrai, répondit Don Quichotte, car il ne conviendrait pas que les ornements de la comédie fussent raffinés ; il les faut plutôt feindre et paraître, comme fait le théâtre lui-même, dont je veux que tu l'aimes, Sancho, et qu'il soit en tes bonnes grâces, ainsi que les gens qui le jouent et ceux qui en composent les pièces, car les uns et les autres sont des instruments qui servent grandement à la république, en nous mettant à chaque pas un miroir devant les yeux, où l'on voit au vif les actions de la vie humaine. Il n'est aucune autre comparaison qui nous représente plus naturellement ce que nous sommes et ce que nous devons être que le théâtre et les comédiens. Car sinon, dis-moi : n'as-tu pas vu jouer de pièces où figurent des rois, des empereurs, des pontifes, des chevaliers, des dames et divers autres personnages ? L'un fait le ruffian, l'autre le tricheur, celui-ci le marchand, celui-là le soldat, cet autre l'idiot plein d'esprit, cet autre encore l'amoureux ahuri. Mais, lorsque s'achève la représentation et qu'ils enlèvent leurs costumes, tous les acteurs se retrouvent égaux.
> – Oui, j'ai vu de ces pièces, répondit Sancho.
> – Eh bien, dit Don Quichotte, il en va de même au théâtre et dans les relations de ce monde, où les uns font les empereurs, les autres les pontifes, et où l'on voit, en un mot, tout le nombre des personnages qu'on peut mettre dans une comédie. Mais dès qu'arrive la fin de la représentation, c'est-à-dire lorsque la vie s'achève, la mort enlève à tous les costumes qui les différenciaient les uns des autres, et ils se retrouvent tous dans leur sépulture.
> – Vaillante comparaison, dit Sancho, mais pas si nouvelle que ça ; je l'ai entendue plus d'une fois, comme celle du jeu d'échecs, où tant que le jeu dure, chaque pièce a son rôle à jouer ; mais dès que le jeu se termine, toutes les pièces se mélangent, se mêlent et se brouillent ensemble, et on les jette

> dans un sac, exactement comme on jette les morts dans leur sépulture.
> – De jour en jour, Sancho, tu deviens moins naïf et plus avisé [...] [1].

Un lieu commun à toutes les traditions

Le *theatrum mundi* remonte à l'aube de la littérature. On en trouve des traces dans les fragments des présocratiques, Démocrite ou Pythagore, chez Platon, et dans la poésie ou le théâtre latins, qui sont, avec la philosophie, les relais du lieu commun jusqu'au Moyen Âge. Dès les premiers siècles de notre ère, les Pères de l'Église, en intégrant à l'héritage biblique les traditions de la culture antique, orientent le *topos* dans une perspective qui n'est plus simplement philosophique, mais profondément religieuse. On devine alors tous les sens qu'ils ont pu tirer d'une métaphore reprise, par exemple, dans le *Manuel d'Épictète* au premier siècle avant Jésus-Christ :

> Souviens-toi que tu es l'acteur d'une pièce de théâtre, d'un rôle que l'auteur a voulu pour toi. Si la pièce est courte, ton rôle est court ; si la pièce est longue, ton rôle est long. S'il veut que tu joues un mendiant, même ce rôle, joue-le avec grâce ; de même si tu joues un boiteux, un magistrat, un simple particulier. En effet, il t'appartient de bien jouer le personnage qui t'est donné, mais le choisir, cela appartient à un autre [2].

Tout le problème reste de savoir qui est cet « autre ». Dans l'Antiquité, des auteurs associent au *theatrum mundi* l'idée que la fortune, le destin aveugle ou le sort gouvernent la vie des hommes. Des stoïciens voient dans l'« autre » le dieu, le *logos* qui est l'origine et le terme de tout. Sénèque, par exemple, dans deux de ses lettres à Lucilius (LXXVI et LXXVII), insiste sur l'égalité de tous les hommes devant la

1. Nous traduisons d'après : Miguel de Cervantes, *El ingenioso Don Quijote de la Mancha*, éd. Luis Andrés Murillo, Madrid, Castalia (Clásicos Castalia, 78), t. II, chap. XII, p. 121.
2. Nous traduisons d'après : Épictète, *Encheiridion* (*Manuel*), in Epictetus, *Discourses*, éd. W. A. Oldfather, Loeb Classical Library, Harvard University Press, 1928, t. II, § 17, p. 496.

mort, et sur la nécessité que tous auront de déposer les insignes de leurs honneurs à la fin de leur comédie. Le *theatrum mundi*, métaphore païenne, peut ainsi être repris par une tradition chrétienne qui assume la pensée stoïcienne. Il est alors utilisé pour exprimer l'obsession de la mort, la conscience de la brièveté et de la fugacité de la vie. *Theatrum mundi* et *contemptus mundi* se rejoignent, pour donner une nouvelle version à ce « mépris du monde » que la tradition biblique exprime en d'autres termes : « Vanité des vanités », « Souviens-toi que tu es poussière ». Le *theatrum mundi*, suivant l'évolution générale de la culture occidentale, puise aux deux sources de la Bible et de l'Antiquité. Rotrou n'utilise pas en vain une telle métaphore, puisque sa pièce chrétienne est en même temps une tragédie à l'antique.

La notion de *theatrum mundi* connaît un moment glorieux quand l'humanisme redécouvre, pour la christianiser, la philosophie antique. Ainsi Montaigne (1533-1592) utilise-t-il la métaphore à plusieurs reprises dans les *Essais* pour exprimer l'inconsistance du monde sur lequel s'agitent les hommes, dans un jeu absurde que la mort est seule à dénouer.

> [...] je trouve vraisemblable qu'il [Solon] ait regardé plus avant et voulu dire que ce même bonheur de notre vie, qui dépend de la tranquillité et contentement d'un esprit bien né, et de la résolution et assurance d'une âme réglée, ne se doive jamais attribuer à l'homme, qu'on ne lui aie vu jouer le dernier acte de sa comédie, et sans doute le plus difficile. En tout le reste il y peut avoir du masque : ou ces beaux discours de la philosophie ne sont en nous que par contenance ; ou les accidents, ne nous essayant pas jusques au vif, nous donnent loisir de maintenir toujours notre visage rassis. Mais à ce dernier rôle de la mort et de nous, il n'y a plus que feindre, il faut parler français, il faut montrer ce qu'il y a de bon et de net au fond du pot [...].
>
> Et, au pis aller, la distribution et variété de tous les actes de ma comédie se parfournit en un an. Si vous avez pris garde au branle de mes quatre saisons, elles embrassent l'enfance, l'adolescence, la virilité et la vieillesse du monde. Il a joué son jeu. Il n'y sait autre finesse que de recommencer. [...]
>
> Les enfants ont peur de leurs amis mêmes quand ils les voient masqués ; aussi avons-nous. Il faut ôter le masque aussi bien des choses que des personnes ; ôté qu'il sera, nous ne

trouverons au-dessous que cette même mort, qu'un valet ou simple chambrière passèrent dernièrement sans peur [1].

La métaphore du *theatrum mundi* est omniprésente chez Shakespeare, où elle est souvent associée au théâtre dans le théâtre. Dans *The Tempest* (*La Tempête,* vers 1611) le magicien Prospéro vient de convoquer un *masque* (divertissement théâtral en musique) où les esprits ont représenté Iris, Junon et Cérès, avant de s'évanouir sur l'ordre du magicien. Le commentaire de ce spectacle lui donne l'occasion de renouveler le lieu commun, le ballet des esprits étant l'image de la vie évanescente des hommes.

PROSPÉRO

Vous semblez troublé, mon fils, et comme ému
par quelque frayeur. Rassurez-vous, Monsieur.
Nos divertissements sont finis. Nos acteurs de naguère,
comme je vous le disais précédemment, étaient tous des esprits et
se sont évanouis dans l'air, dans l'air léger.
Et, comme cette vision construite sur rien,
les tours coiffées de nuées, les palais somptueux,
les temples solennels, le vaste globe lui-même,
oui, avec tous ceux qui l'ont en partage, tout se dissipera
et, s'évanouissant tel ce spectacle sans substance,
ne laissera pas derrière lui un fil de nuage. Nous sommes faits
de la même étoffe que les songes, et notre petite vie
est cernée de sommeil. Monsieur, je m'inquiète.
Pardonnez ma faiblesse. Mon vieux cerveau se trouble,
mais ne prenez pas garde à cette défaillance ;
si vous voulez, retirez-vous dans ma cellule,
et là, reposez-vous. Je vais faire un tour ou deux
pour apaiser les battements de ma tête [2].

1. Michel de Montaigne, *Essais*, Paris, GF-Flammarion, 1969, chap. XIX-XX, t. I, p. 124, 139 et 142.
2. Nous traduisons d'après : William Shakespeare, *The Tempest*, éd. Frank Kermode, The Arden Shakespeare, Methuen, 1954, rééd. Nelson, Walton on Thames, 1998, IV, 1, p. 103-105.

Il y a autant d'emplois du *theatrum mundi* que de conceptions du monde. Le *topos* n'est en soi qu'une forme métaphorique vide, prête à recevoir le sens qu'on veut lui appliquer ; un écrivain contemporain comme Pirandello, dans *Sei Personaggi in cerca d'autore* (*Six personnages en quête d'auteur*, 1921) recourt au lieu commun pour traduire en langage dramatique les vacillements de la conscience moderne et l'incertitude du moi. Mais au XVIIe siècle, le *theatrum mundi* n'exprime pas au premier chef une conception sceptique du monde : loin de conduire à l'affirmation de l'inexistence de Dieu ou de l'absurdité du monde, la conscience de la vanité terrestre doit au contraire conduire l'homme à Dieu. L'homme peut jouer un rôle méprisable, mais c'est sous le regard du Créateur qui lui confère un sens. En termes de théâtre, Dieu tient alors un rôle multiple, puisqu'il est à la fois auteur, metteur en scène et spectateur du spectacle qu'il a façonné pour son propre plaisir et qu'il jugera au dernier jour. Le théâtre, assimilé au monde frivole, n'est plus alors méprisé, puisque Dieu lui-même choisit de s'intégrer à la grande représentation où toutes les créatures se trouvent, par sa volonté, embarquées. Le *theatrum mundi* n'exprime pas une forme de désespoir existentiel ; il n'est plus une simple variante du *contemptus mundi*, mais une forme d'expression nouvelle du mystère chrétien de la Création, une comédie bienheureuse où la métaphore humaine du théâtre est reprise par Dieu lui-même dans son acte créateur.

L'exemple le plus célèbre d'une telle utilisation du *topos* est la pièce du dramaturge espagnol Calderón de la Barca (1600-1681), *El gran teatro del mundo* (*Le Grand Théâtre du Monde*). Il s'agit d'un *auto sacramental*, un genre dramatique en un acte propre à la péninsule Ibérique, qui traite sur le mode allégorique un sujet religieux destiné à être représenté surtout au cours des processions de la Fête-Dieu. La pièce de Calderón, contemporaine du *Véritable Saint Genest* puisqu'elle fut représentée vers 1645, constitue à proprement parler une mise en forme théâtrale du lieu commun. La comédie est ici *divine*, puisque c'est Dieu lui-même – sous la forme de l'Auteur et du metteur en scène – qui invite la Création, à commencer par l'Homme, à lui donner un spectacle. Le Monde se transforme en théâtre et six personnages se voient distribuer des rôles (le Riche, le Roi, le Paysan, le Mendiant, la Beauté, la Prudence et l'Enfant). Ils seront jugés sur la qualité de leur jeu à la fin de la pièce, mais ils sont aidés par un souffleur, la Loi morale.

Entre en scène l'Auteur[1]*, vêtu d'un manteau d'étoiles, des rayons à son chapeau.*

L'AUTEUR

Splendide ordonnance
de cet édifice terrestre aux multiples aspects,
toi qui, par tes ombres et tes lointains,
usurpes ses reflets à mon architecture céleste,
quand tes belles fleurs rivalisent en nombre avec les étoiles,
tu es dans tes splendeurs
un ciel humain de périssables fleurs.
Vaste champ d'éléments,
de monts, d'éclairs, d'océans et de vents :
vents que de leur poids
sillonnent les oiseaux comme autant de vaisseaux ;
océans et mers où volent quelquefois
les escadres de tes poissons ;
éclairs où le feu aveugle
t'illumine de sa colère ;
monts qu'en maîtres absolus parcourent
les hommes et les bêtes ;
tu es, toujours en guerre,
un monstre de feu et d'air, d'eau et de terre.
Toi qui, toujours divers,
es l'heureux édifice d'univers,
prodige originel sans égal,
et toi, le Monde, pour t'appeler enfin par ton nom,
toi qui renais comme le Phénix, et avec une même gloire,
de tes propres cendres…

(Le Monde entre par une autre porte.)

---

1. Le mot *autor* revêt une multiplicité de valeurs en espagnol, qui se combinent ici : créateur (il s'emploie alors pour désigner Dieu lui-même), inventeur, écrivain, chef de troupe théâtrale et metteur en scène.

LE MONDE

Qui m'appelle,
et, du noyau insensible
de cette sphère qui me cache,
d'ailes rapides me revêt ?
Qui m'arrache à moi-même ? Qui me lance ces cris ?

L'AUTEUR

Ton Auteur souverain.
Un soupir de ma voix,
un signe de ma main t'informent,
et à ton obscure matière ils donnent forme.

LE MONDE

Eh bien ! qu'ordonnes-tu ?
Que me veux-tu ?

L'AUTEUR

Puisque je suis ton Auteur, et toi ma créature,
aujourd'hui, je veux à ton approbation
soumettre la réalisation de l'un de mes desseins.
Je veux donner aujourd'hui une fête
en l'honneur de mon propre pouvoir, car je sais
que la grande nature n'en donnera
que pour l'ostentation de ma grandeur.
Et comme une représentation bien réussie
est ce qui a toujours le mieux réjoui, le mieux plu,
et que la vie humaine est une représentation,
je veux qu'aujourd'hui le ciel puisse voir
une comédie, sur ton théâtre.
Si je suis l'Auteur, et si la fête est mienne,
ma compagnie forcément la jouera.
Et puisque j'ai choisi les hommes pour les premiers rôles
et qu'ils sont les acteurs de ma compagnie,
c'est à eux qu'il revient, sur le Théâtre
du Monde, qui compte quatre parties [1],
De jouer avec le style qui convient.
Je donnerai à chacun le rôle qu'il lui faut,
et pour qu'en cette fête
l'apparat des machines et la richesse
des costumes joue aussi son rôle,
je veux aujourd'hui que, par moi prévenu,
joyeux, libéral et charmant,

1. L'Europe, l'Afrique, l'Amérique et l'Asie, seules connues à l'époque.

tu fasses des décors
qui de douteux qu'ils sont passent pour certitudes.
Nous serons, moi l'Auteur, en un instant,
toi, le théâtre, et l'homme, le récitant [1].

1. Nous traduisons d'après : Pedro Calderón de la Barca, *El gran teatro del mundo*, éd. Eugenio Frutos Cortés, Madrid, Cátedra (Letras hispánicas, 15), 1991, p. 39-42, v. 1-66.

BIBLIOGRAPHIE

PRINCIPALES ÉDITIONS

Jean ROTROU, *Le Véritable Saint Genest*, Paris, Toussainct Quinet, 1647 et 1648.

Jean ROTROU, *Le Véritable Saint Genest*, éd. E.T. Dubois, Genève, Droz, 1972.

Jean ROTROU, *Le Véritable Saint Genest*, in *Théâtre du XVIIe siècle,* éd. Jacques Scherer, Paris, Gallimard, « Bibliothèque de la Pléiade », 1975, vol. I, p. 943-1005.

Jean ROTROU, *Le Véritable Saint Genest*, éd. José Sanchez, Mont-de-Marsan, José Feijóo, 1991.

AUTRES ŒUVRES DE ROTROU

Jean ROTROU, *Œuvres*, présentées par Viollet-le-Duc, Paris, Th. Desoer, 1820, 5 vol., rééd. Genève, Slatkine, 1972.

SUR ROTROU

MOREL, Jacques, *Jean Rotrou, dramaturge de l'ambiguïté*, Paris, Armand Colin, 1968.

VUILLEMIN, Jean-Claude, *Baroquisme et théâtralité. Le théâtre de Jean Rotrou*, Biblio 17, Paris-Seattle-Tübingen, 1994.

SUR *LE VÉRITABLE SAINT GENEST*

BESNARD-COURSODON, Micheline, « De Circé à Pandore, lecture politique du *Véritable Saint Genest* », *Poétique*, n° 35, sept. 1978, p. 336-351.

MOREL, Jacques, « Ordre humain et ordre divin dans *Saint Genest* de Rotrou », *Revue des sciences humaines*, n° spécial, *Le Théâtre dans le théâtre*, janv.-mars 1972, p. 91-94.

PERSON, Léonce, *Histoire du* Véritable Saint Genest *de Rotrou*, Paris, Cerf, 1882.

SEZNEC, Alain, « Le *Saint Genest* de Rotrou : un plaidoyer pour le théâtre », *Romanic Review*, oct. 1972, n° 3, pp. 171-189.

VUILLEMIN, Jean-Claude, « Rôle de Dieu, rôle du prince : le *Véritable Saint Genest* de Rotrou », *Littérature*, déc. 1987, n° 68, p. 86-101.

ÉTUDES GÉNÉRALES

CHAMBERS, Ross, *La Comédie au château. Contribution à la poétique du théâtre*, Paris, José Corti, 1971.

CIORANESCU, Alexandre, *Le Masque et le visage. Du baroque espagnol au classicisme français*, Genève, Droz, 1983.

DEIERKAUF-HOLBOER, S. Wilma, *Histoire de la mise en scène dans le théâtre français, de 1600 à 1657*, Paris, 1933, rééd. Genève, Slatkine, 1976.

FORESTIER, Georges, *Le Théâtre dans le théâtre sur la scène française du XVIIe siècle*, Genève, Droz, 1981.

HUBERT, Judd D., « Réel et illusoire dans le théâtre de Corneille et dans celui de Rotrou », *Revue des sciences humaines*, 1958, p. 333-350.

JACQUOT, Jean, « Le Théâtre du monde de Shakespeare à Calderón », *Revue de littérature comparée*, juil.-sept. 1957, n° 3, p. 341-372.

LAWRENSON, Thomas Edward, *The French Stage and Playhouse in the XVIIth century : a study in the Avent of the Italian Order*, 1957, rééd. New York, AMS Press, 1986.

LOUKOVITCH, Kosta, *L'Évolution de la tragédie religieuse classique en France*, Paris, 1933 ; reprint Slatkine, 1977.

NELSON, Robert J., *Play within a Play*, Yale UP, Paris, PUF, 1958.

PELORSON, Jean-Marc, « Théâtre dans le théâtre au siècle d'Or : le clignotement de l'illusion. Visuel et virtuel dans *Le Retable des merveilles* et *Le Timide au palais* », *Les Langues néo-latines*, n° 275, fasc. 4 [n° spécial : « Côté cour, côté jardin : états du baroque »], p. 5-21.

ROUSSET, Jean, *La Littérature de l'âge baroque en France. Circé et le paon*, Paris, José Corti, 1965.

ROUSSET, Jean, *L'Intérieur et l'extérieur. Essais sur la poésie et le théâtre au XVIIe siècle,* Paris, José Corti, 1968.

LEXIQUE*

A

ABUS : erreur, illusion (1515).
ACCIDENT : événement fortuit (192, 490, 578, 621).
ADRESSER : conduire (534, 836).
AFFERMIR : arrêter, immobiliser (693).
ALARME : effroi, panique (51).
ALLÈCHEMENT : moyen par lequel on attire, appât (829).
ALENTIR (S') : se ralentir (1038).
AMANT, -ANTE : qui aime (184).
AMORCE : séduction (273, 563).
AMOUR (genre indéterminé au XVIIe siècle) (876, 910).
ARRÊT : décision (197).
ASSURÉMENT : avec assurance (1096).
ATTEINTE : (234).
ATTENDRE DE (S') : se disposer à, s'apprêter à (1664).
ATTENTAT : atteinte, coup (352, 793).
AUPARAVANT : avant (1161).
AVECQUE : avec (87, 162, 509, 627, 628, 651, 668, 677, 1288, 1297).
AVENTURE : circonstance, cas fortuit (311).
AVOUER DE (quelque chose) : reconnaître (303).

B

BAILLER : donner, tendre (372).
BONACE : tranquillité, calme (1443).
BRILLANT : éclat, lustre (267) ; étoile (374, 688, 1000).
BRUIT : réputation (280, 536).

C

CAPABLE : qui peut admettre, recevoir (1487).
CAPRICE : humeur fantasque (22, 257, 435, 1605, 1605).
CARRIÈRE : cours de la vie (1175, 1459).
CHARME : attrait puissant d'une femme (105).
CHARMER : enchanter, envoûter (223, 385, 540, 651).
CHEF : tête, dirigeant (36, 1482).
CHÉTIF, -VE : malheureux (717).
CHIMÈRE : imagination, folie, illusion (65, 600).
CLARTÉ : clarté du jour, vie (8, 785, 1606).
CŒUR : courage (340, 531, 561, 897, 934, 1110, 1142) ; siège de l'âme, au sens biblique (897, 1110, 1222, 1354).
GRAND CŒUR : personne magnanime, à l'âme élevée (161).
COL : cou (384, 1010).

* Les chiffres renvoient aux numéros des vers.

COMÉDIE : toute fiction théâtrale (306, 349).
COMMETTRE : confier (32, 795, 1249, 1257, 1394).
CONNAÎTRE : reconnaître (580).
CONSEIL : décision (48).
CONSOMMER : consumer (573, 1191, 1279, 1354, 1612).
COUP (ENCORE UN COUP) : fois (985).
CRÉANCE : croyance (433, 808, 864, 872, 1357, 1570).

D

DÉFAILLIR : manquer, faire défaut (1534).
DÉPARTIR : distribuer (1257, 1313) ; se départir : se séparer (440).
DÉPLORABLE : objet de larmes (472).
DÉTESTER : maudire, lancer des imprécations (579, 889, 961, 988, 1336, 1355, 1737).
DEVANT (préposition) : avant (684, 703).
DISCRÉTION : jugement (364).
DISPENSER À : autoriser à (20).
DIVERTIR : détourner (763).
DOUTEUX, -EUSE : incertain (431).

E

ÉCLAIRCIR : rendre célèbre (167).
EFFET : réalisation (195, 464, 800, 844, 971, 1196, 1225) ; réalité (306) ; *en effet, d'effet* : en réalité (240, 402, 1490) ; action réelle (825) ; conséquence (655, 816, 1050, 1157, 1645, 1716).
EFFORT : production de l'art (221, 278, 309) ; résistance (1359).
ÉGAL, LE : juste (612).
ÉLECTION : choix (187).
ENNUI : souffrance (367, 1197, 1450).
ENTREPRENDRE : s'en prendre à, attaquer (1173).
ENVIE : haine (135)5.
ÉPARGNE : trésor public (1119).
ÉPREUVE : expérience (296).
ESSAI : avant-goût (1433).
ÉTONNER : frapper comme du tonnerre, bouleverser (425).
ÉTUDE (souvent masculin au XVIIe siècle) : exercice, soin, application (405).
EXCITER : donner de l'ardeur, animer (371).
EXQUIS, -SE : précieux, extraordinaire (136).
EXTRACTION : origine sociale (137).

F

FAIX : fardeau (222, 705).
FARD : artifice destiné à dissimuler ou à embellir (164, 332).
FAIRE : agir (1473).
FAUX, -SSE : hypocrite (358).
FEU : vivacité, enthousiasme (236, 865) ; amour (860, 1305).
FIGURE : représentation (474, 1262).
FIGURER : représenter (475).
FISC : trésor public, caisse de l'empereur (1201).
FLAMME : amour (57, 859, 1095, 1276).
FLEAU (FLÉAU) : personne dont l'action meurtrière est l'instrument de la colère divine (379, 1005).
FOI : fidélité (716, 1110).
FOUDRE : dard enflammé servant d'attribut à Jupiter (dans ce

sens, toujours au masculin) (571, 650, 783).

FRANCHISE : liberté (833, 895).

FRONT : visage (46, 184, 1069, 1585).

FUREUR : démence, rage (627, 902, 1050) ; colère (1569).

FURIEUX, -SE : pris de démence, fou, enragé (577, 649, 1135, 1416).

G

GAGE : marque, signe (378, 679, 700, 1004).

GARANTIR : protéger (746).

GARDER QUE : prendre garde que (948, 964).

GÉNÉREUX, -EUSE : au sang noble, à l'âme noble (213, 866, 1167).

GENS : nation, peuple (cf. *droit des gens*) (803).

GESTES : hauts faits, actes mémorables (43).

GLOIRE : estime, considération (251, 1209) ; sens théologique : état bienheureux des élus qui participent à la splendeur de Dieu (409, 1610).

GLORIEUX, -SE : qui participe de la gloire de Dieu (cf. *gloire*) (447, 501, 593, 701, 745).

GRÂCE : indulgence (134, 1395, 1423, 1575, 1676) ; faveur (466, 971, 1494) ; beauté, élégance (333, 668, 678) ; sens théologique : force donnée par Dieu qui soutient la foi et dirige vers le bien (645, 1164, 1248, 1283, 1295, 1313).

GRÉ (À MON GRÉ) : selon moi (667).

H

HASARDER : risquer de perdre (1088).

HAUT, -TE : noble (454).

HEUR : bonheur (101, 205, 748, 1338, 1490, 1556).

HEUREUSEMENT : avec bonheur (384, 1010).

HOSTIE : victime offerte en sacrifice (900, 1647).

HYMEN, HYMÉNÉE : mariage (14, 25, 310, 624, 842, 853, 899, 1626, 1709).

I

INDUSTRIE : talent, savoir-faire (167, 326).

INDUSTRIEUX, -SE : habile, inventif (777).

INFLUER : communiquer (87, 1449).

INGÉNU, -UE : candide, sincère (1419, 1513).

J

JOUR : vie (772, 1082, 1473, 1483, 1614, 1678).

L

LAVER : arroser, baigner (129).

LIQUEUR : liquide, ici *eau* (1353).

LOI : religion (1109, 1330, 1657, 1675).

LUMIÈRE : jour (1504).

LUMINAIRE : astre (599).

M

MAL (MAUX) : torture, supplice (774).

MERVEILLE : prodige de l'art (249, 289, 675) ; miracle (425, 851, 1216, 1344, 1376).

N

NAÏVETÉ : simplicité, naturel (1420).

NEVEUX : descendants, postérité (311).

O

OFFICE : service (21, 947, 1043, 1427, 1680, 1716) ; métier, charge (1684).

OFFICIEUX, -SE : diligent (957).

P

PASSER : dépasser (408).

PEINE : torture (555, 1736) ; châtiment (763).

PENSER : pensée poétique (455, 531, 1014, 1546).

PIÉTÉ : pitié (1083).

PORT : lieu de refuge qui désigne le paradis (995, 1350).

POSSIBLE : peut-être (valeur adverbiale) (1475).

PRÉCIEUX, -SE : vénérable (sens théologique originaire, cf. « sang précieux » du Christ dans l'eucharistie) (510, 702, 1098) ; de grand prix (702, 1098, 1210).

PREMIER, -ÈRE : originel (653, 1635).

PRÉVENIR : devancer (1716).

PRÉSENT, -TE : immédiat, efficace (246).

PROGRÈS : suite de succès militaires (242).

PROPOSER (SE) : prendre conscience (989).

PROSPÈRE : favorable (988).

PROVIDENT, -TE : qui prévoit (1670).

Q

QUERELLE : cause, parti (338, 480).

QUERELLER : réprimander (694).

R

RARE : excellent ; exceptionnel (189, 216, 279, 289).

RAVALÉ, -LÉE : avili, abaissé (1543).

RÉCIT : déclamation théâtrale (387, 674).

RENCONTRE : occasion. Genre indéterminé au XVIIe siècle (23).

RENDRE DEDANS : remettre dans (892).

REPASSER : répéter (335, 369, 391, 452) ; examiner une seconde fois (1393).

RÉSOUDRE : annuler, dissoudre (834).

RESSENTIMENT : impression (236).

RETENIR (qqch. à qqn) : priver quelqu'un de (97).

RÊVER : réfléchir avec concentration (401, 1245).

S

SECOND, -DE : inférieur (29).

SECTE : religion (1336, 1655, 1706).

SENS : opinion (259, 537).

SENSIBLE : vif, causant une forte impression (234, 1276, 1432) ; visible, évident, manifeste (249, 1095, 1207, 1276, 1476)

SENTIMENT : sensation, fait de sentir (100).

SIMPLE : niais, sot (1395).

SOIN(S) : souci (224, 721, 1550, 1693) ; attention, égard (225, 957, 1527, 1651) ; charge (552, 796, 1385).

SOLLICITER : contribuer (230).

SONGE : (2, 5, 11, 65, 80, 193, 195).

SOUFFRIR : supporter, tolérer, permettre (31, 45, 364, 470,

621, 714, 968, 1079, 1135, 1220, 1508, 1672).

SPÉCIEUX, -SE : qui a une apparence de vérité et de justice (813).

SUCCÉDER : réussir, aboutir (245, 1532).

SUCCÈS : issue (50, 642, 973, 1621).

SUGGÉRER : dire à mi-voix comme un souffleur (1310).

SUIVRE : poursuivre (722).

SURGEON : descendant (1629).

SURVIVRE : survivre à (transitif direct au XVIIe siècle) (1481).

T

TAPISSERIE : décor (1257, 1298).

TÉMOIN : spectateur (1549).

TOURMENT : torture (518, 764, 1390, 1591, 1600, 1735).

TRAVAIL : souffrance, peine (104, 562, 989).

TRAIT : ce qui frappe le cœur ou l'âme comme une flèche (105, 756).

U

USAGE : coutume (365, 803) ; effet, efficacité (560).

V

VAIN, -NE : sans fondement (1, 433, 864, 1442) ; orgueilleux, vaniteux (357, 1655).

VALEUR : force, courage au combat (96, 452).

VANITÉ : inconsistance, insignifiance (1190).

VAPEUR : trouble de l'esprit comparé aux vapeurs du vin (2, 1444).

VERTU : pouvoir, effet (656) ; courage (514) ; qualité de faire le bien (sens moral) (514, 975, 1162).

VIL, -LE : de basse condition (14).

VŒUX : désirs amoureux (149, 858) ; promesse (203) ; souhait (906, 934, 1214, 1525).

VULGAIRE : de basse condition (77).

Z

ZÈLE : ardeur ou ferveur, souvent religieuse (294, 414, 472, 492, 529, 547, 776, 872, 993, 1086, 1151, 1256).

DERNIÈRES PARUTIONS

ARISTOTE
Petits Traités d'histoire naturelle (979)
Physique (887)

AVERROÈS
L'Intelligence et la pensée (974)
L'Islam et la raison (1132)

BERKELEY
Trois Dialogues entre Hylas et Philonous (990)

CHÉNIER (Marie-Joseph)
Théâtre (1128)

COMMYNES
Mémoires sur Charles VIII et l'Italie, livres VII et VIII (bilingue) (1093)

DÉMOSTHÈNE
Philippiques, suivi de **ESCHINE,** Contre Ctésiphon (1061)

DESCARTES
Discours de la méthode (1091)

DIDEROT
Le Rêve de d'Alembert (1134)

DUJARDIN
Les lauriers sont coupés (1092)

ESCHYLE
L'Orestie (1125)

GOLDONI
Le Café. Les Amoureux (bilingue) (1109)

HEGEL
Principes de la philosophie du droit (664)

HÉRACLITE
Fragments (1097)

HIPPOCRATE
L'Art de la médecine (838)

HOFMANNSTHAL
Électre. Le Chevalier à la rose. Ariane à Naxos (bilingue) (868)

HUME
Essais esthétiques (1096)

IDRÎSÎ
La Première Géographie de l'Occident (1069)

JAMES
Daisy Miller (bilingue) (1146)
Les Papiers d'Aspern (bilingue) (1159)

KANT
Critique de la faculté de juger (1088)
Critique de la raison pure (1142)

LEIBNIZ
Discours de métaphysique (1028)

LONG & SEDLEY
Les Philosophes hellénistiques (641 à 643), 3 vol. sous coffret (1147)

LORRIS
Le Roman de la Rose (bilingue) (1003)

MEYRINK
Le Golem (1098)

NIETZSCHE
Par-delà bien et mal (1057)

L'ORIENT AU TEMPS DES CROISADES (112

PLATON
Alcibiade (988)
Apologie de Socrate. Criton (848)
Le Banquet (987)
Philèbe (705)
Politique (1156)
La République (653)

PLINE LE JEUNE
Lettres, livres I à X (1129)

PLOTIN
Traités I à VI (1155)
Traités VII à XXI (1164)

POUCHKINE
Boris Godounov. Théâtre complet (1055

RAZI
La Médecine spirituelle (1136)

RIVAS
Don Alvaro ou la Force du destin (bilingue) (1130)

RODENBACH
Bruges-la-Morte (1011)

ROUSSEAU
Les Confessions (1019 et 1020)
Dialogues. Le Lévite d'Éphraïm (1021)
Du contrat social (1058)

SAND
Histoire de ma vie (1139 et 1140)

SENANCOUR
Oberman (1137)

SÉNÈQUE
De la providence (1089)

MME DE STAËL
Delphine (1099 et 1100)

THOMAS D'AQUIN
Somme contre les Gentils (1045 à 104
4 vol. sous coffret (1049)

TRAKL
Poèmes I et II (bilingue) (1104 et 1105)

WILDE
Le Portrait de Mr. W.H. (1007)

ALLAIS
À se tordre (1149)

BALZAC
Eugénie Grandet (1110)

BEAUMARCHAIS
Le Barbier de Séville (1138)
Le Mariage de Figaro (977)

CHATEAUBRIAND
Mémoires d'outre-tombe, livres I à V (906)

COLLODI
Les Aventures de Pinocchio (bilingue) (1087)

CORNEILLE
Le Cid (1079)
Horace (1117)
L'Illusion comique (951)
La Place Royale (1116)
Trois Discours sur le poème dramatique (1025)

DIDEROT
Jacques le Fataliste (904)
Lettre sur les aveugles. Lettre sur les sourds et muets (1081)
Paradoxe sur le comédien (1131)

ESCHYLE
Les Perses (1127)

FLAUBERT
Bouvard et Pécuchet (1063)
L'Éducation sentimentale (1103)
Salammbô (1112)

FONTENELLE
Entretiens sur la pluralité des mondes (1024)

FURETIÈRE
Le Roman bourgeois (1073)

GOGOL
Nouvelles de Pétersbourg (1018)

HUGO
Les Châtiments (1017)
Hernani (968)
Quatrevingt-treize (1160)
Ruy Blas (908)

JAMES
Le Tour d'écrou (bilingue) (1034)

AFORGUE
Moralités légendaires (1108)

LERMONTOV
Un héros de notre temps (bilingue) (1077)

LESAGE
Turcaret (982)

ORRAIN
Monsieur de Phocas (1111)

MARIVAUX
La Double Inconstance (952)
Les Fausses Confidences (978)
L'Île des esclaves (1064)
Le Jeu de l'amour et du hasard (976)

MAUPASSANT
Bel-Ami (1071)

MOLIÈRE
Dom Juan (903)
Le Misanthrope (981)
Tartuffe (995)

MONTAIGNE
Sans commencement et sans fin. Extraits des *Essais* (980)

MUSSET
Les Caprices de Marianne (971)
Lorenzaccio (1026)
On ne badine pas avec l'amour (907)

PLAUTE
Amphitryon (bilingue) (1015)

PROUST
Un amour de Swann (1113)

RACINE
Bérénice (902)
Iphigénie (1022)
Phèdre (1027)
Les Plaideurs (999)

ROTROU
Le Véritable Saint Genest (1052)

ROUSSEAU
Les Rêveries du promeneur solitaire (905)

SAINT-SIMON
Mémoires (extraits) (1075)

SOPHOCLE
Antigone (1023)

STENDHAL
La Chartreuse de Parme (1119)

TRISTAN L'HERMITE
La Mariane (1144)

VALINCOUR
Lettres à Madame la marquise *** sur *La Princesse de Clèves* (1114)

WILDE
L'Importance d'être constant (bilingue) (1074)

ZOLA
L'Assommoir (1085)
Au Bonheur des Dames (1086)
Germinal (1072)
Nana (1106)

GF Flammarion

06/04/121255-IV-2006 – Impr. MAURY Eurolivres, 45300 Manchecourt.
N° d'édition FG105204. – Octobre 1999. – Printed in France.